REH ★ PRO LESSONS

INTERVALLIC DESIGNS for Jazz Guitar

JN122196

by Joe Diorio

インターヴァリック・デザイン・フォー・ジャズ・ギター

インプロヴィゼイションのための*超*モダン・サウンド

ジャズの巨匠*Joe Diorio*による革新的なインターヴァリック・ラインで
あなたのプレイとイマジネーションを広げよう！

トーナリティを使用したデザイン

ダイアトニック・ハーモニーを使用したデザイン

ディミニッシュ・スケールのためのデザイン

ドミナントとオルタード・ドミナント・コードのためのデザイン

クロマティック・スケールを使用したデザイン

ATN, inc.

著者について

パフォーマー、レコーディング・アーティストとして30年以上の経験をもつ*Joe Diorio*は、正にギタリストの中の ギタリストです。彼は*Sonny Stitt*、*Eddie Harris*、*Ira Sullivan*、*Stan Getz*、*Horace Silver*、*Freddie Hubbard*などのジャズの巨匠たちと共演し、近年リリースされた彼のCDには、*Wes Montgomery*に捧げた I Remember Wes、We Will Meet Again、ベーシスト*Riccardo Del Fra*をフィーチュアしたライヴ・パフォーマンス Double Take、*Mick Goodrick*とのデュオ・アルバム Rare Birds があります。

教育者としても高く評価されている彼は、現在ロサンジェルスの南カリフォルニア大学で教鞭を執り、全米、ヨーロッパ、そしてブラジルでギター・セミナーを行っています。さらに彼はカリフォルニア州ハリウッドのギター・インスティテュート・オブ・テクノロジー（G.I.T.）をスタートさせた3人の講師のひとりでもあります。

彼は6冊のジャズ教則本を執筆し、膨大な数の記事をGuitar Player誌に寄稿してきました。また彼自身の教則ビデオも制作しました。

Joe Diorio, 1978

Contents

もくじ

Introduction
はじめに

本書で紹介する音楽をあなたが理解するために、そしてそれを最大限に活用するために、音楽に対する私のコンセプト（概念）について全般的な考え方を話しておきます。20年以上前のことですが、長年ギターを演奏し続け、さまざまな経験を積んだ結果、私は自分の音楽人生における分岐点に到達しました。すなわち、ダイアトニック・ハーモニー、コード・シンボル、調号、キー・センターなどといったメカニズムにとらわれることなく演奏できるようになったのです。間もなく私は、音楽を考えることから開放され、ただ自然に音楽を演奏するようになりました。しかし、それまでには28年の歳月を費やしていることも知っておいてください。

本書で取り上げたデザインはすべて、ダイアトニック・ミュージックからの離脱であるこの時点で思いついたものです。これらのデザインは機械的な形式からではなく、私の直観的な感覚から生まれました。私はこれらを生まれるべくして生まれたものとして書き下ろしたのです。次第に、私はフリー・スタイルの演奏以外でこれらのデザインを使う方法が解り始めました。コード・チェンジをもつ曲にこれらを取り入れて、同時に**インサイド**と**アウトサイド**のサウンドを創る方法を見つけたのです。

そして私は、これらのアイディアがトーナリティ（調性）のインとアウトを揺らめくように行き来し、トーナル（調性音楽）とアトーナル（無調音楽）の演奏のどちらにも効果的に使用できるという、さらなる特性を理解するようになりました。これらのデザインの多くには、多少の和声的な安定をもたらすコードが提示されていますが、他にもたくさんのコードがこれらにフィットすることに気づくことでしょう。しかし、これらは自由な状況下で非常に大きな力を発揮するためにも、これらのデザインをコードにフィットさせることだけに限定しないように注意しましょう。

以下のことを提言します。

1. これらのラインを非常にゆっくりとしたテンポで、少なくとも12回以上練習しましょう。そうすればラインを正確に覚えることができます。無理に速いテンポでプレイすると間違えて覚えることになり、結局は覚え直すことになってしまいます。

2. インターヴァル（音程）の跳躍は人によって難しいかもしれません。しかし、これらを練習することでテクニックが磨かれ、その結果より大きな自由を得ることができるはずです。根気よく練習しましょう。

3. 常に1の指（人差し指）がポジションを決定します。

4. これらのラインはすべて、音域が許す範囲で移調しましょう。

とりわけモダンなコンポーザーやプレイヤーにとって特に大切なのは、新しいサウンドに対して心を開いておくことです。それがきっとあなたの聴く能力を伸ばし、イマジネーションを広げることに役立つでしょう。デザインの一部を使って、または異なるラインを組み合わせるなどして試してみるのもよいでしょう。要するに、欲しいサウンドに対して自分の目と耳をオープンにしておくということです。人によってそれぞれ進歩するペースには差があります。焦りはフラストレーションを引き起こすだけです。リラックスして、そして音楽を楽しみましょう！

トーナリティを使用したデザイン

No.1から10までのデザイン（ライン）は、Aペンタトニック・スケール（A-C-D-E-G）のサウンドに基づいて創られています。いくつかのラインにはB音を加え、よりメロディックにしています。これらのペンタトニック・デザインはあらゆるスタイルのインプロヴィゼイションに適応し、彩りをそえることができます。

マテリアル（素材）を一度完全に消化し、これらのデザインのサウンドに耳が慣れてきたら、直観的な感覚にまかせて、トーナル（調性）とアトーナル（無調）のどちらの状況でも自由に演奏できるようになります。私が提示したコードの他にも、たくさんのコードをこれらのラインに結びつけることができます。この領域（これらのデザインに対応するコードを考えること）は非常にフレキシブルです。また、フィンガリングとピッキング・テクニック（ダウンとアップを交互にくり返すオルタネート・ピッキング）の例は各プレイヤーの好みで変えてもかまいません。No.1から10までのデザイン（ライン）をAm11、Asus4、Dm9、Em11、FMaj7上で試してみましょう。音符とタブの間にある数字はフィンガリングの例です。

◆1 No. 1

* 各例題の◆記号は、CDのトラック・ナンバーに対応しています。

CDナレーション：デザインNo. 1から10は、Am11、Am7、Dm9、FMaj7、Em11、Asus4上で使用することができます。

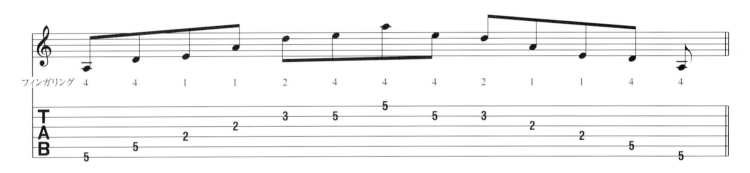

◆2 No. 2

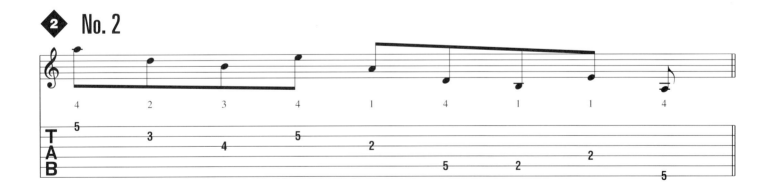

◆3 No. 3

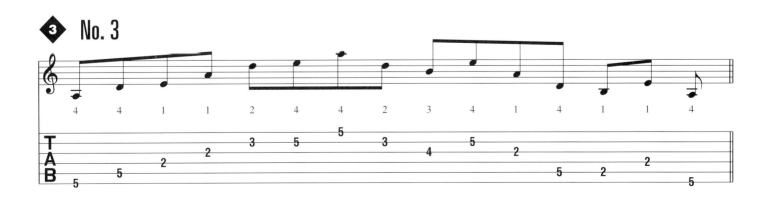

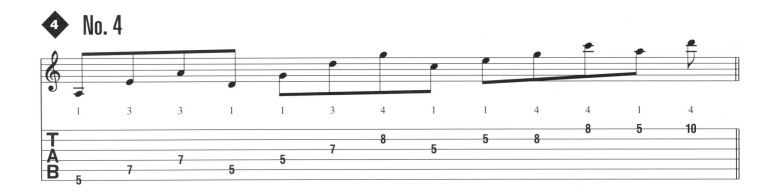

No. 4

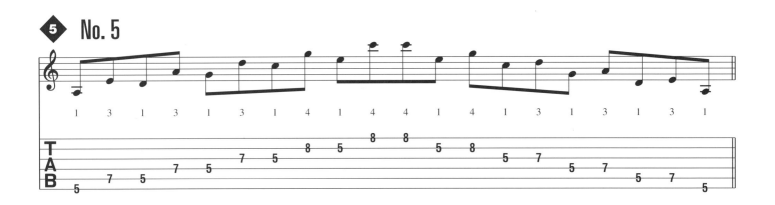

No. 5

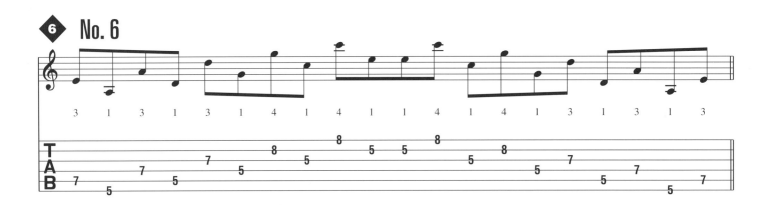

No. 6

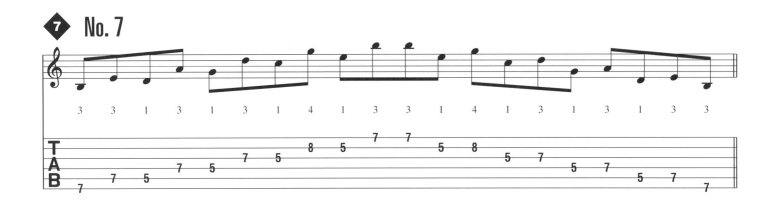

No. 7

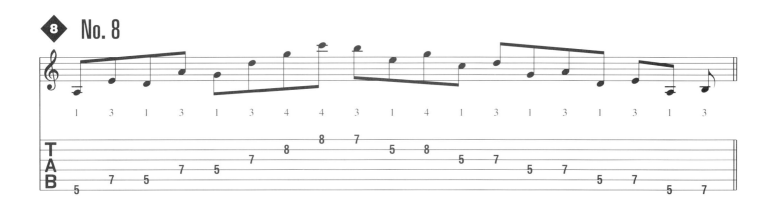

No. 8

No. 9

No. 10

次の３つのデザイン（No.11、No.12、No.13）をC7、C9、C13、Gm6、Gm7、Gm9、Em7(♭5)、B♭Maj7(♭5)で試してみましょう。

No. 11

＊注　意：臨時記号はそれが付けられているピッチの音のみに適用される。

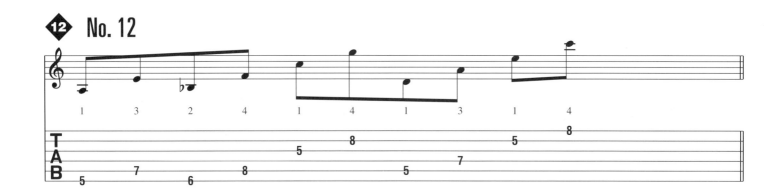

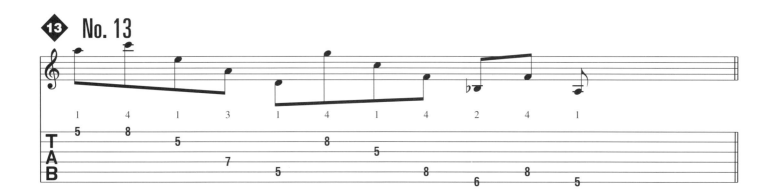

No.14は、B♭m7、B♭m9、B♭m13、B♭m11、D♭Maj7⁽♭5⁾、D♭Maj9⁽♭5⁾、D♭Maj13⁽♭5⁾上で機能します。

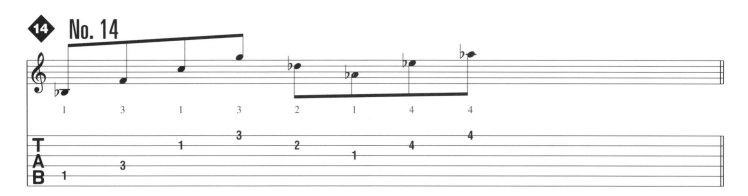

このデザインはC7とオルタレーション、F♯7、F♯9、F♯13、G♯6、C♯m7、C♯m9、A♯m7⁽♭5⁾、EMaj7⁽♭5⁾上で機能します。

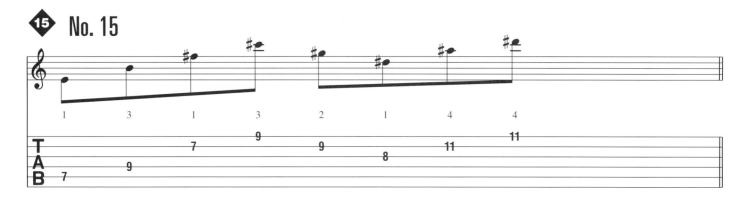

No.16もまた、C7とオルタレーション上で試してみましょう。

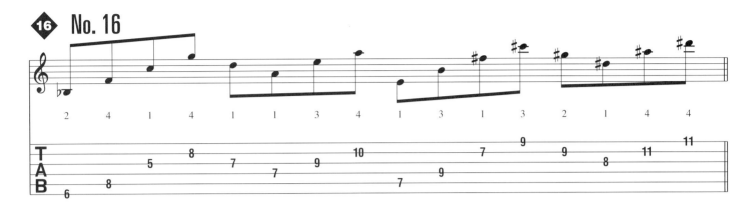

このデザインはB♭7とオルタレーション上で試してみましょう。

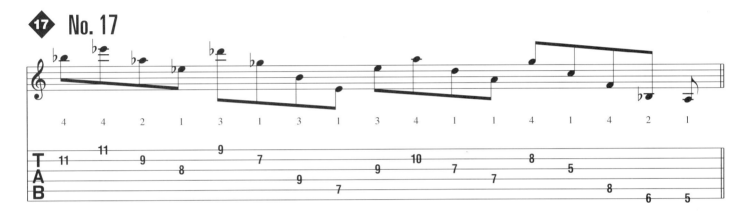

Designs of Diatonic Harmonies
ダイアトニック・ハーモニーを使用したデザイン

これらのデザイン（ライン）は、キーDメジャーのあらゆるコードに対して使用することができます。例えば、ハーモニー的に考えると、これらのラインはすべてA9(13)上でうまく機能します。しかし、必ずしもキーに制限される必要はありません。

Dメジャーのダイアトニック・コードは、DMaj7、Em7、F#m7、GMaj7、A7、Bm7、C#m7(♭5) です。

No. 18

No. 19

No. 20

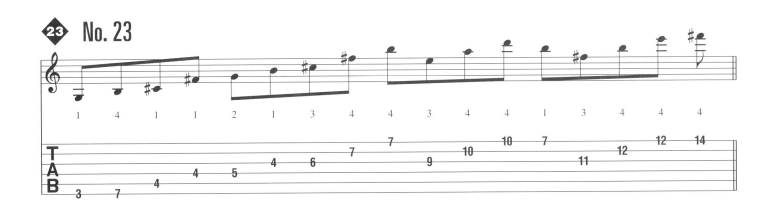

No.24は決まったトーナリティをもっていません。安定したハーモニーとともに、または安定したハーモニーがなくてもうまく機能します。

No. 24

ディミニッシュ・スケールを使用したデザイン

ディミニッシュ・スケールは、Cディミニッシュ、D♭ディミニッシュ、Dディミニッシュの3つしか存在しません。各スケールの構造はすべて同じで、全音と半音が交互にくり返しています。以下は、Cディミニッシュ・スケールです。

短3度ずつ離れているC、E♭、G♭、Aのそれぞれの音を出発点とすると、4つの異なるピッチから始まるCディミニッシュ・スケールが得られます。その結果、Cディミニッシュ・スケールから他の3つのディミニッシュ・スケール（E♭ディミニッシュ、G♭ディミニッシュ、Aディミニッシュ）が得られることになります。同様に、D♭ディミニッシュ・スケールからは、D♭ディミニッシュ、Eディミニッシュ、Gディミニッシュ、B♭ディミニッシュ・スケールが得られます。そしてDディミニッシュ・スケールからは、Dディミニッシュ、Fディミニッシュ、A♭ディミニッシュ、Bディミニッシュ・スケールが得られます。これによって、ディミニッシュ・スケールの12のすべての可能性を網羅したことになります。

次に、Cディミニッシュ・スケールに関連した4つのドミナント7thコード（B7、D7、F7、A♭7）を検証してみましょう。Cディミニッシュ・スケールは、これらのどのドミナント7thコードに対しても、同じコード・トーン（1、3、5、♭7、♭9、♯9、♯11または♭5、13）を形成します。この時に、7thコードのオルタレーション（例えば、B7(♭5)、B7(♭9)、B7(♯9)、B7(♯9/♭5)、B7(♯9/♭9/♭5)）に対するこのスケールの柔軟性を理解できるでしょう。

ディミニッシュ・スケールは、通常ドミナント・コードのルートの半音上から始まります。例えば、ドミナント・コードがB7の場合、Bの半音上のCディミニッシュ・スケールを使います。また別の見方では、ドミナント・コードのルートから、半音で始まるディミニッシュ・スケールを組み立てる、と考えてもよいでしょう。以下を見てみましょう。

これはあくまでもCディミニッシュ・スケールをB音から始めたものであって、Bディミニッシュ・スケールではない、ということに注意しましょう。

また、各デザインは短3度上または下に移動しても、同じコードで使うことができ、これによってギターの全音域を網羅することが可能になります。1つのデザインを短3度ずつ移動（例えば、CからE♭、E♭からG♭、G♭からA）することで、短3度のサイクルを作り、7thコードとそのオルタレーションをコントロールすることができます。

これは7thコードに対応するディミニッシュ・コードを見つけるための表です。

ドミナント7thコード	B7	D7	F7	A♭7	C7	E♭7	G♭7	A7	D♭7	E7	G7	B♭7
ディミニッシュ・スケール	C	E♭	G♭	A	D♭	E	G	B♭	D	F	A♭	B

ディミニッシュ・スケールには他にもいくつかの機能があります。マイナー・コード（m6、m7、m7(♭5)）に対しては、そのマイナー・コードのルートから始めるディミニッシュ・スケール（例えば、Cm7に対しては、そのルートであるC音から始まるCディミニッシュ・スケール）を使うことができます。そしてもちろん、ディミニッシュ・スケールのもっとも明白な使用法は、ディミニッシュ7thコード上での使用です。ディミニッシュ・コードのルートから始まるディミニッシュ・スケール（例えば、Cdim7に対してCディミニッシュ・スケール）を使います。

デザイン№.25から27は、ドミナント・コードのG7、B♭7、D♭7、E7上で、これらのすべてのオルタード・コード上で使うことができます。

No. 25

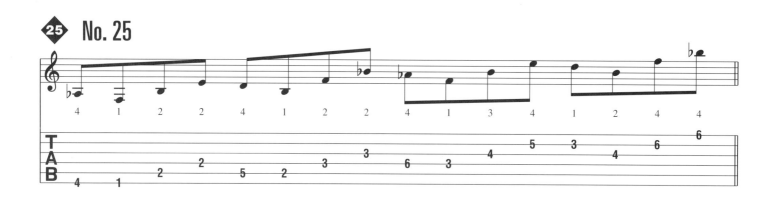

No. 26

No.27は、短3度ずつ上行するメジャー7thのFディミニッシュ・デザインです。私は№.28をA♭ディミニッシュ・デザインと考えています。

No. 27

No. 28

◆29 No. 29

<h2 style="text-align:center">D、F、A♭、Bディミニッシュ・デザインの組み合わせ</h2>

以下のTrack 30から43は、No.25から29を組み合わせた、E7、G7、B♭7、D♭7とそれらのオルタレーションに対する、D、F、A♭、Bディミニッシュ・デザインです。

◆30 No. 25 と 27 の組み合わせ

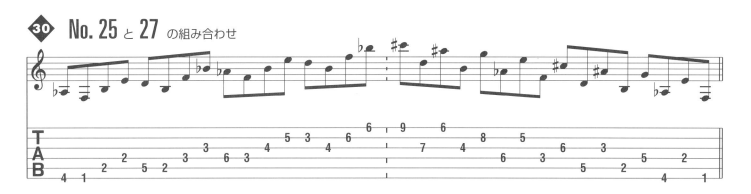

◆31 No. 27 と 26 の組み合わせ

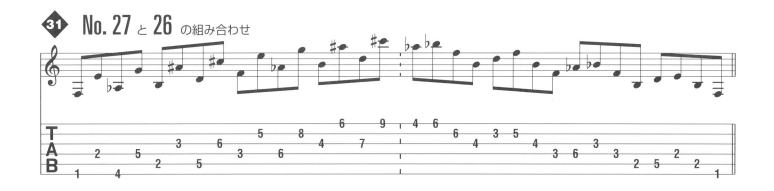

◆32 No. 28 と 26 の組み合わせ

33 No. 25 と 29 の組み合わせ

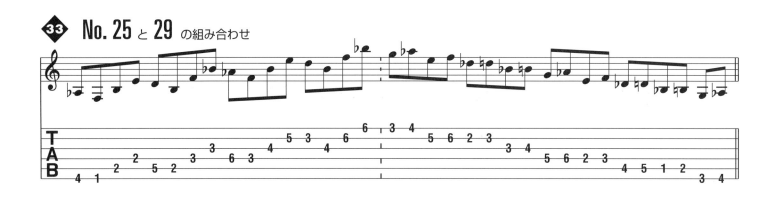

34 No. 27 と 29 の組み合わせ

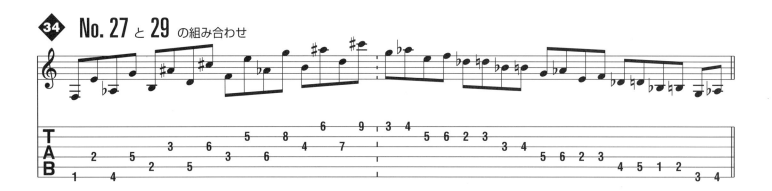

35 No. 28 と 27 の組み合わせ

Track 36から43では、すでに説明したディミニッシュ・ラインと、G7$^{(b5)}$のアルペジオが組み合わされています。このアルペジオは、G7$^{(b5)}$以外でも使うことができます。G7$^{(b5)}$コードの音と他の3つのドミナント・コード(Bb7、Db7、E7)との関係を検証すると、以下の表のようになります。

	G	B	Db	F
G7$^{(b5)}$	1	3	b5	b7
Bb7	13	b9	#9	5
Db7	b5	b7	1	3
E7	#9	5	13	b9

CDナレーション：デザインNo.25から29は、ドミナント・コードであるG7、B♭7、D♭7、E7で使用できるデミニッシュ・パターンです。
次に、ここでG7(♭5)のアルペジオを取り上げてみましょう(No.30、No.31)。このアルペジオは、先のデミニッシュ・パターン(No.25～29)と組み合わせることができます。

36 No. 30

G7(♭5)

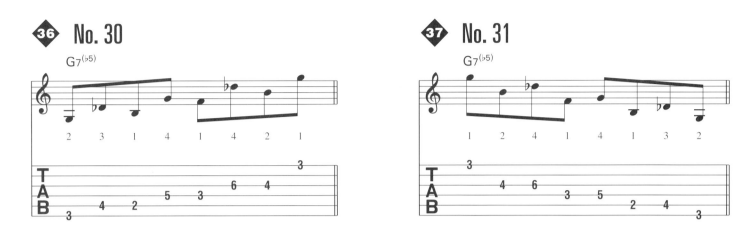

CDナレーション：G7(♭5)アルペジオをNo.25から29と組み合わせてみましょう。

38 No. 30 と 29 の組み合わせ

39 No. 28 と 31 の組み合わせ

40 No. 30 と 26 の組み合わせ

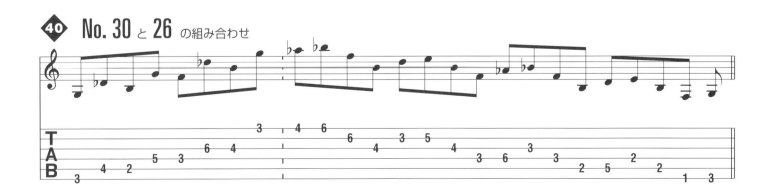

18

41 No. 25 と 31 の組み合わせ

42 No. 27 と 31 の組み合わせ

43 No. 30 と 27 の組み合わせ

Designs for Dominant and Altered Dominant Chords

ドミナント・コードとオルタード・ドミナント・コードのためのデザイン

このチャプターでは、引き続きドミナント7thコード上で使用できるラインを取り上げます。ここでの、すべてのラインはA7とそのオルタレーションを基本にしています。いくつか例をあげると、A7(♭5)、A7(♭9)、A7(♭9/♯5)、A7(♯9)、A13(♭5)、A13(♭9/♯5)、A7(♭9/♯5)です。これらのデザインをすべてのドミナント・コードに移調して練習しましょう。

CDナレーション：このチャプターのデザインは、A7とそのオルタレーションで使用できます。

44 **No. 32**   **45** **No. 33**

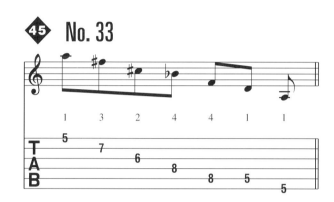

46 **No. 34**

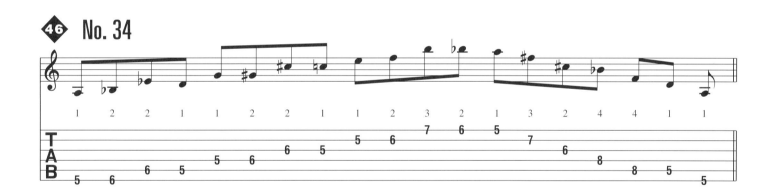

47 **No. 35**

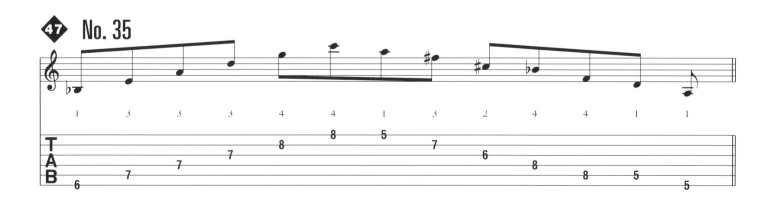

No. 36

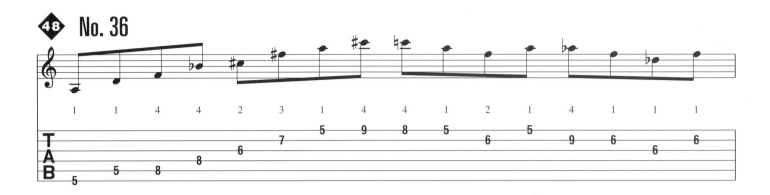

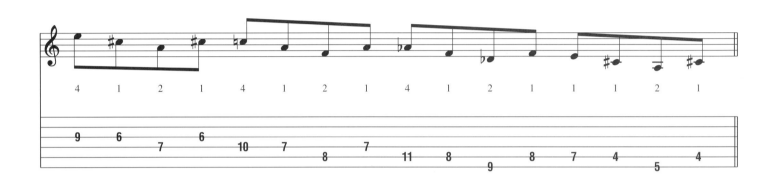

No. 37

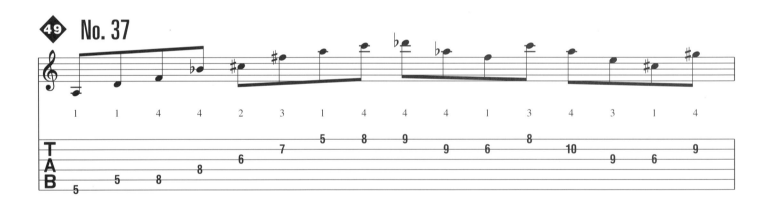

50 **No. 38**

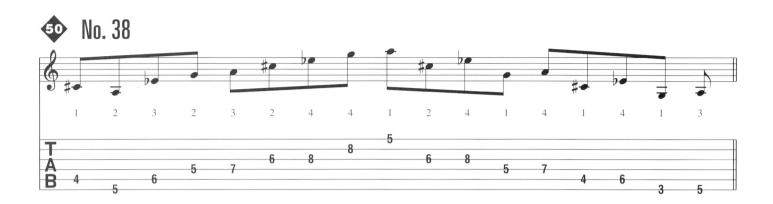

51 **No. 39**

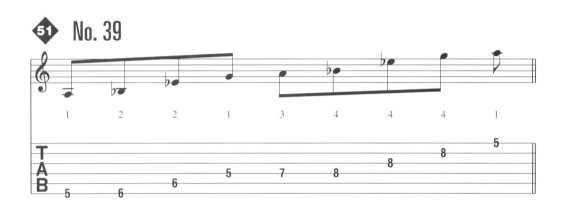

52 **No. 40**

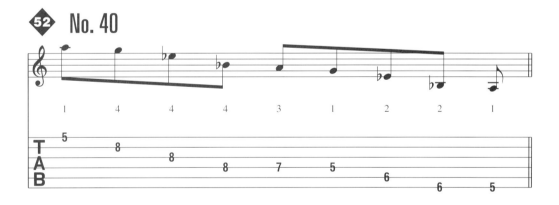

53 **No. 39 と 38** の組み合わせ

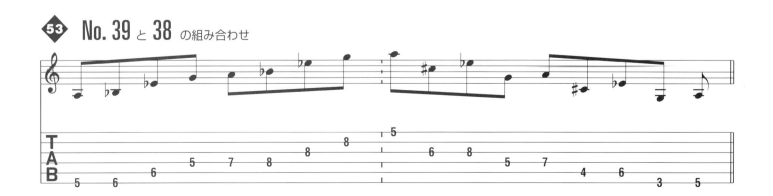

54 No. 38 と 40 の組み合わせ

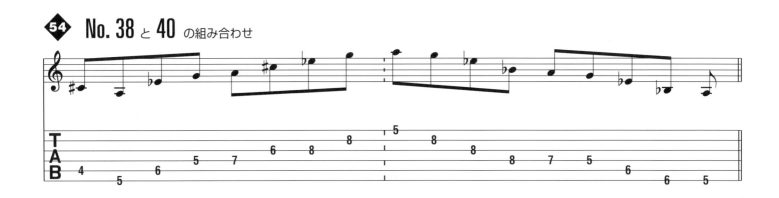

55 No. 41

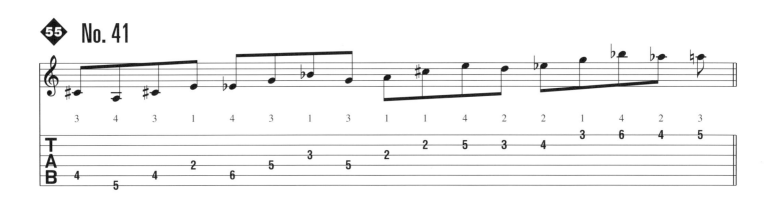

56 No. 41 と 40 の組み合わせ

Designs for the Chromatic Scales

クロマティック・スケールを使用したデザイン

このチャプターは2つのクロマティック・スケールから始めます。これらのデザインだけを単独で使用する場合、メジャー、マイナー、ドミナントなど、あらゆるコード・タイプにフィットします。それは、クロマティック・スケールはあらゆるコードのあらゆる音を含んでいるからです。

57 No. 42 4度を用いたCクロマティック・スケールのライン

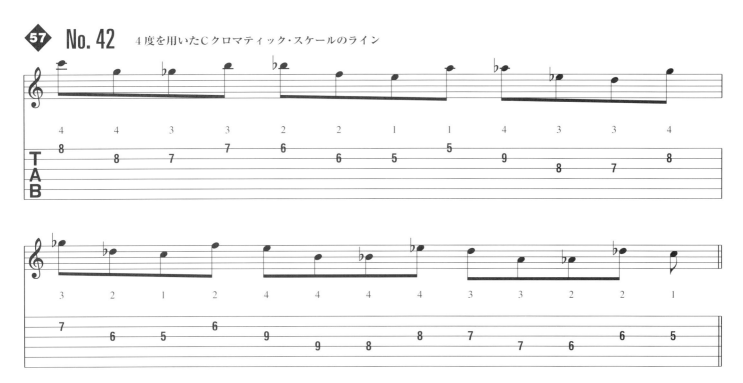

58 No. 43 B♭クロマティック・スケール

上のクロマティック・スケールをNo.44と45に組み合わせることで、C9、Gm6、Em7(♭5)、そしてB♭Maj7(♭5)コードのための4つのデザインを得ることができます。Gm6とEm7(♭5)は同じコードであり、C9のルートのC音を除いたものと同じです。

59 No. 44 Gm6、Em7(♭5)、B♭Maj7(♭5)またはC9とその他のエクステンション

◆60 No. 45

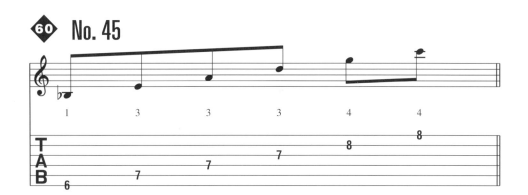

Track 61から64の組み合わせは、Gm6、Em7(♭5)、B♭Maj7(♭5)、またはC9（すべてのエクステンションとオルタレーションを含む）で使用できます。

◆61 No. 44 と 43 の組み合わせ

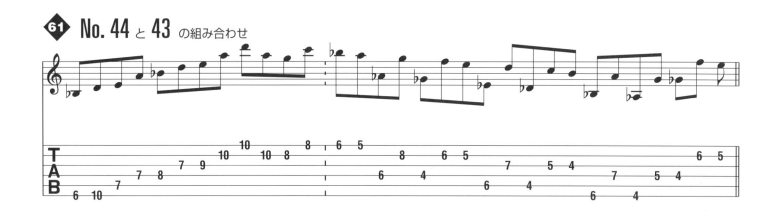

◆62 No. 45 と 43 の組み合わせ

63 No. 44 と 42 の組み合わせ

64 No. 45 と 42 の組み合わせ

No.46から48のデザインは、直接的にはクロマティック・スケールには関係ありませんが、同じコード・タイプで使用できます。

65 No. 46

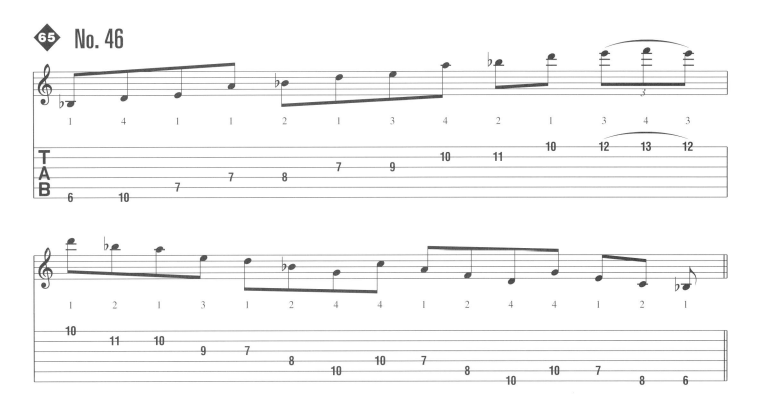

66 No. 47

67 No. 48

Em7⁽♭5⁾またはA13

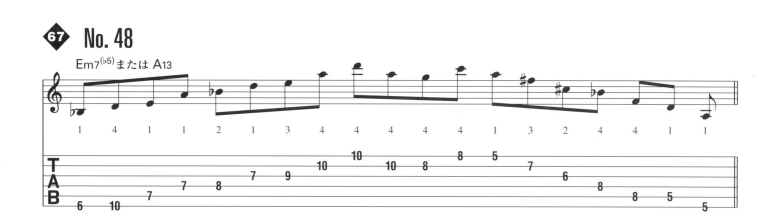

Designs for Conventional Progressions

慣例的なプログレッションのためのデザイン

これは、CMaj7 - Am7 - Dm7 - G7 という慣例的なプログレッション上で、斬新なサウンドを創るためのいくつかの４小節のアイディアです。これらはまた、以下のあらゆる４小節のシークエンス上でうまく機能します。No.49 から 55 までをこれらのプログレッション上で試してみましょう。

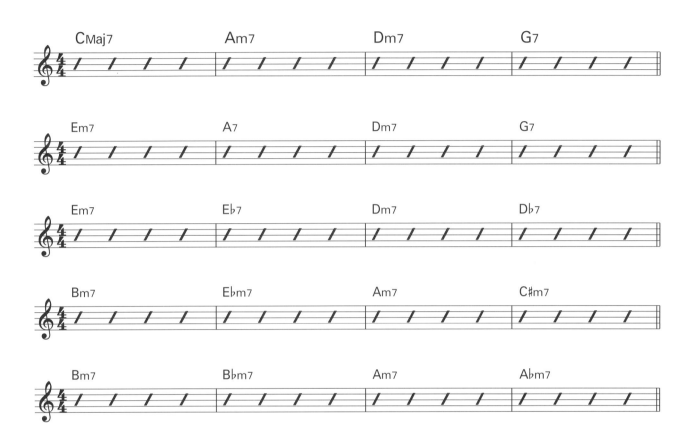

CDナレーション：これらは、慣例的なプログレッション（CMaj7 - Am7 - Dm7 - G7 などの4小節のシークエンス）上で使用する、型にはまらない自由なパターンです。

68 No. 49

69 No. 50

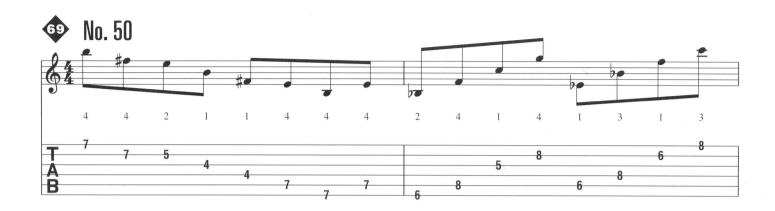

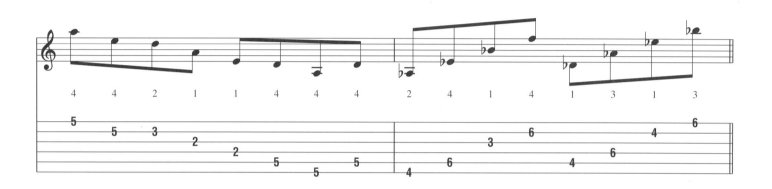

70 No. 51

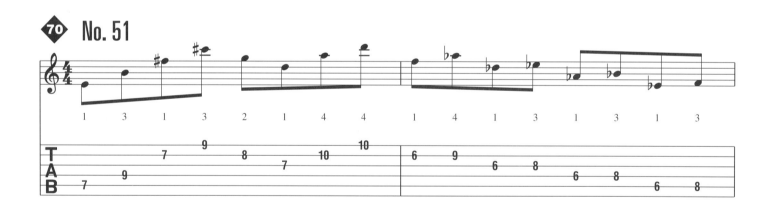

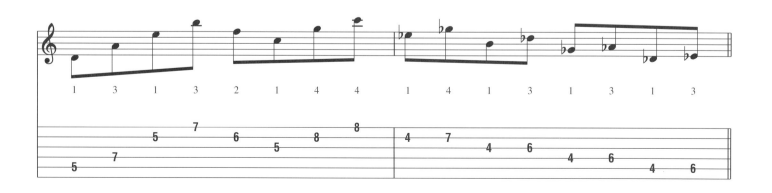

71 No. 52

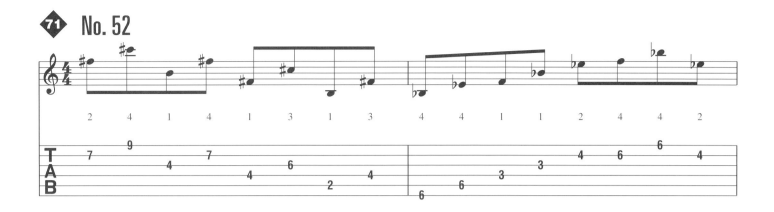

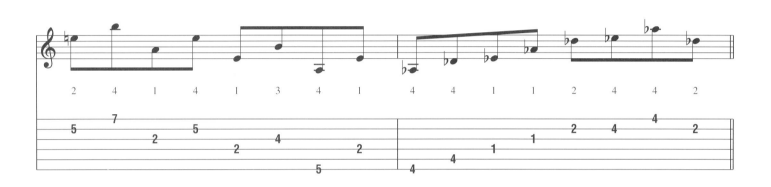

72 No. 53

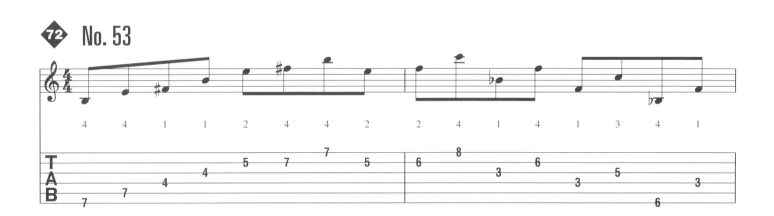

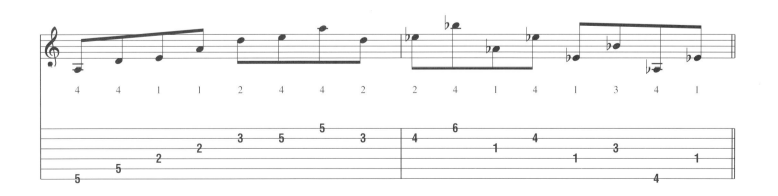

73 No. 54

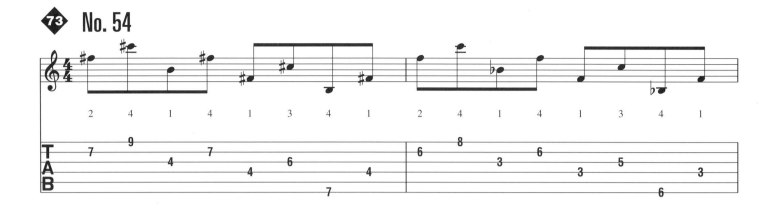

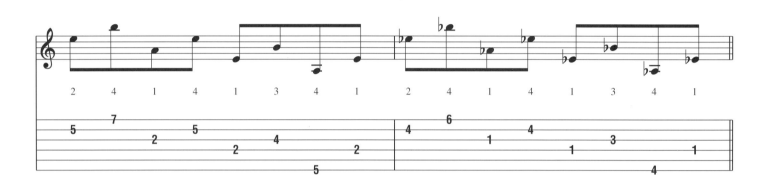

74 No. 55

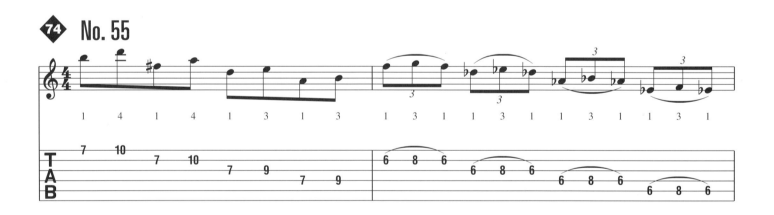

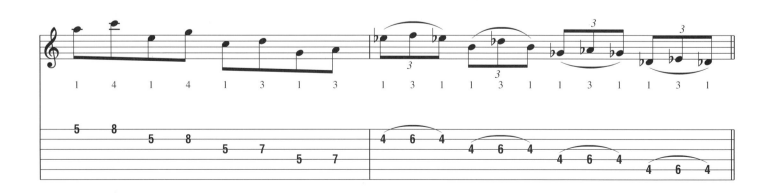

Designs of Varied Harmonic Applications

さまざまなハーモニック・アプリケーションを使用したデザイン

No.56から61までは、1つのコード（Bm7）上でテンションを創り出す方法の好例です。アウトサイドやアトーナルの演奏でもっとも大切なのは、メロディアスに解決することです。Bm7上でどのように始まり、どのように終わるかに注意しましょう。楽譜に書かれているコードが、どのようにアウトサイドのトーナリティが創られているかを明らかにしてくれます。これらのラインに慣れたら、他の状況でもこれらを取り入れることができるようになります。

CDナレーション：デザインNo.56から61は、1つのコード上でテンションを創る方法の例です。ここでのコードはBm7です。これによって、より強いアウトサイド、またはアトーナルを創ることができます。

75 No. 56

76 No. 57

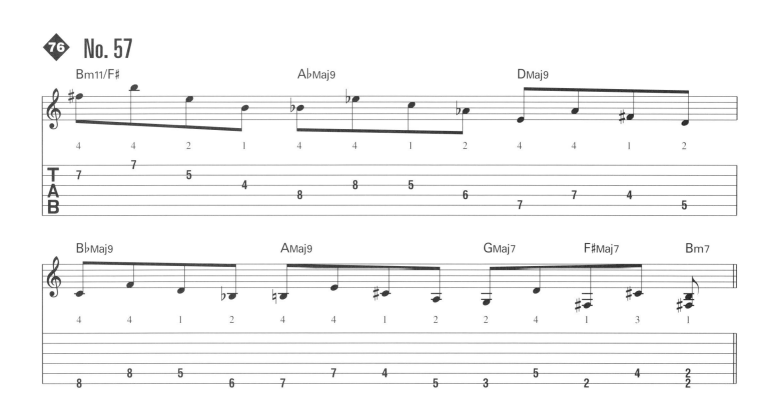

77 **No. 58**

* 4度で下行するBクロマティック・スケール

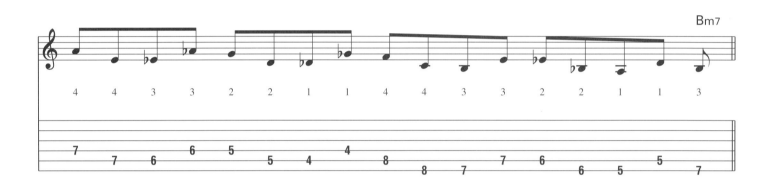

No.56と同じハーモニック・ストラクチャー（No.59は、No.56を低い音域から始めたもの）です。

78 **No. 59**

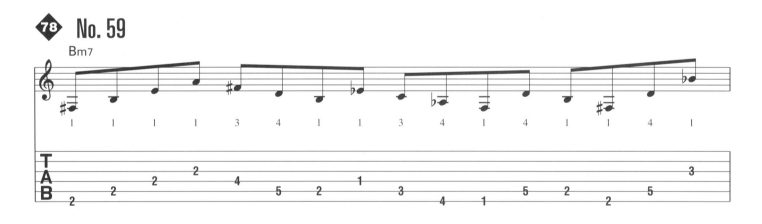

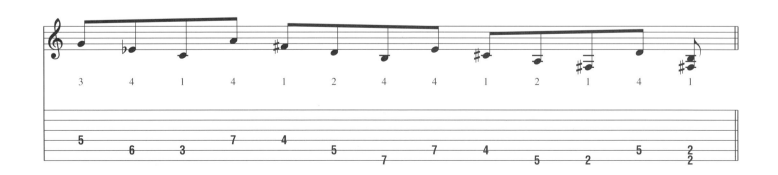

No.57と同じハーモニック・ストラクチャー（No.60は、No.57を低い音域から始めたもの）です。

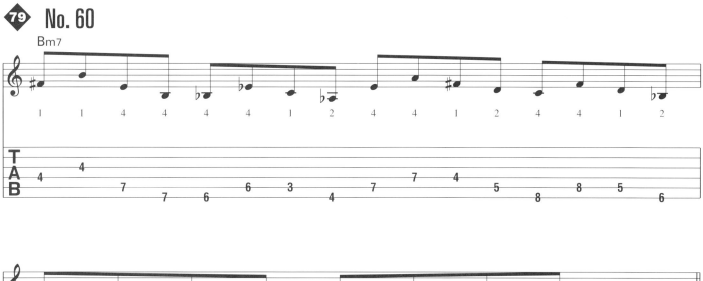

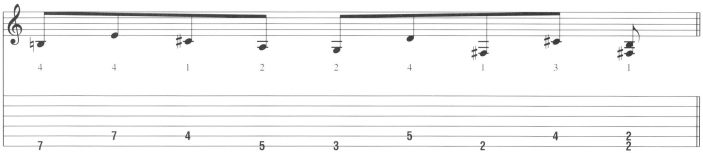

No.58と同じハーモニック・ストラクチュアを低い音域から始めたものです。

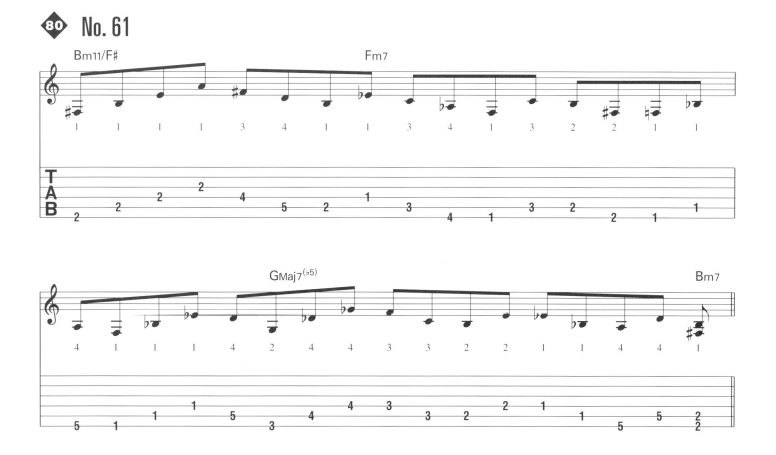

以下の２つのデザインは、GMaj7(♭5) またはA13上でうまく機能します。

No. 62

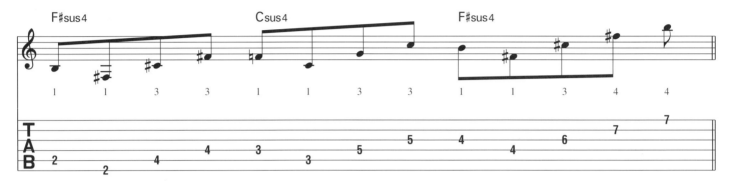

No. 63

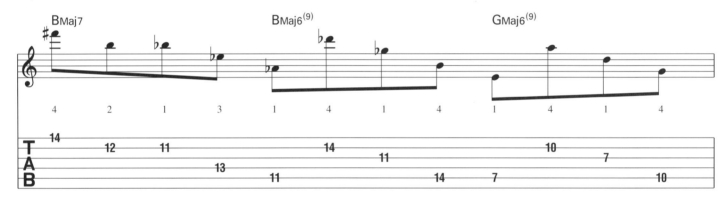

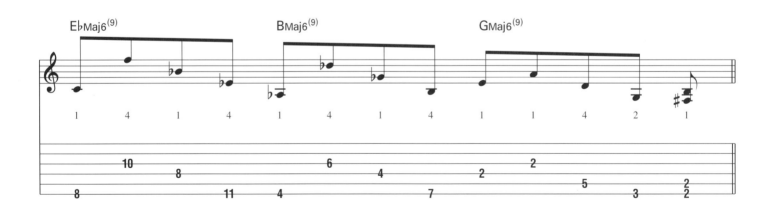

このデザインは、前で取り上げたデザイン（ライン）のいくつかを組み合わせたものです。

CDナレーション：このデザインは、前で取り上げたラインのいくつかを組み合わせたものです。

83 # No. 64

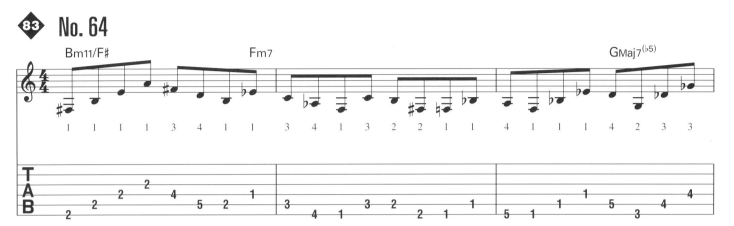

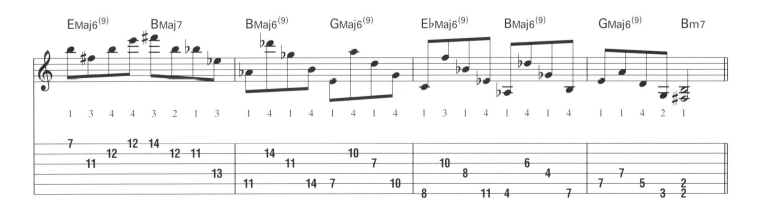

Designs of the Perfect Fifth Interval
完全5度音程を使用したデザイン

No.65から70は完全5度で組み立てられ、短3度で上行しています。この一般的なインターヴァルをよく理解できるように、私はいくつかのコンビネーションをまとめてみました。これらのラインには、他にもたくさんの可能性があることをすぐに理解できるでしょう。私は、これらのラインが、イントロ、エンディング、そしてフリースタイルの演奏に適していることを見つけました。

注　意：No.65から68では、同じ4つのコードが異なる位置に現れます。これら4つのコードはGメジャー・トーナリティを創っています。

CDナレーション：完全5度音程を使ったデザインです。

84 ◆ **No. 65**

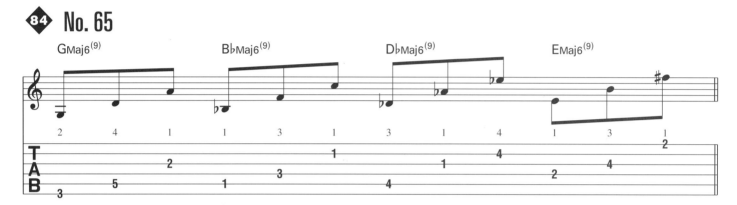

85 ◆ **No. 66**

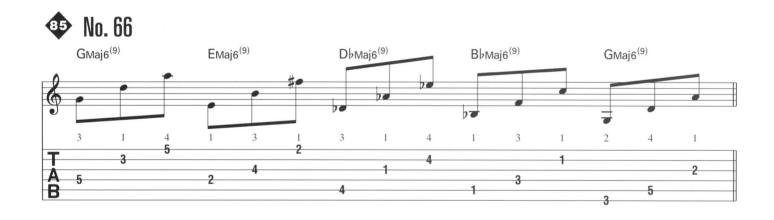

86 ◆ **No. 67**

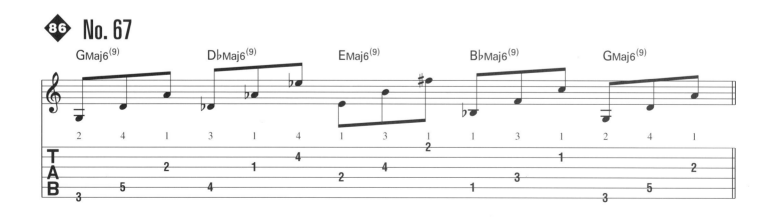

87 # No. 68

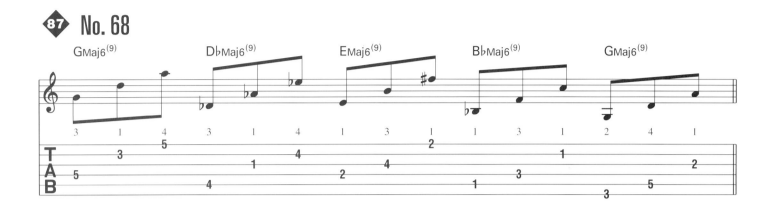

88 # No. 69

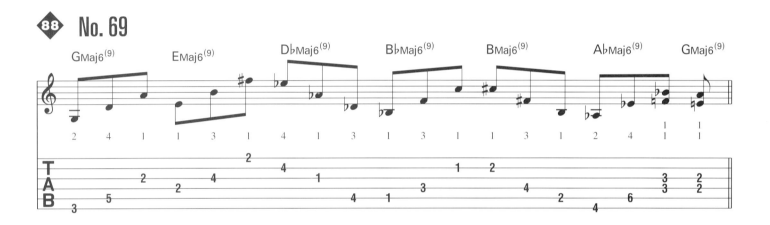

このデザインは、コードはA♭Maj7のトーナリティをもっています。

89 # No. 70

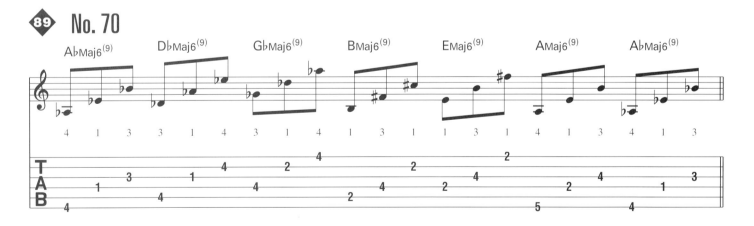

本書全体をとおして、これらのラインにフィットするコードを他にも見つけることができるでしょう。本書のこれ以降のラインには、一般的に考えられるコードを提示してあります。常に耳をオープンにしましょう。他にもたくさんのコードが考えられます。次のラインは、D♭m9またはEMaj9上でうまく機能します。

90 No. 71

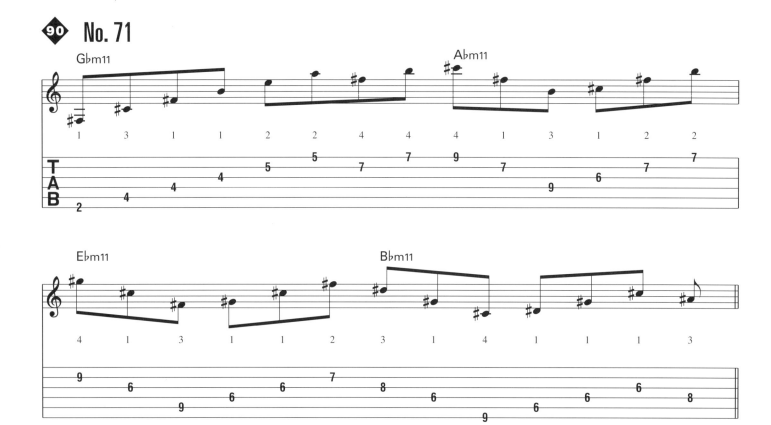

91 No. 72

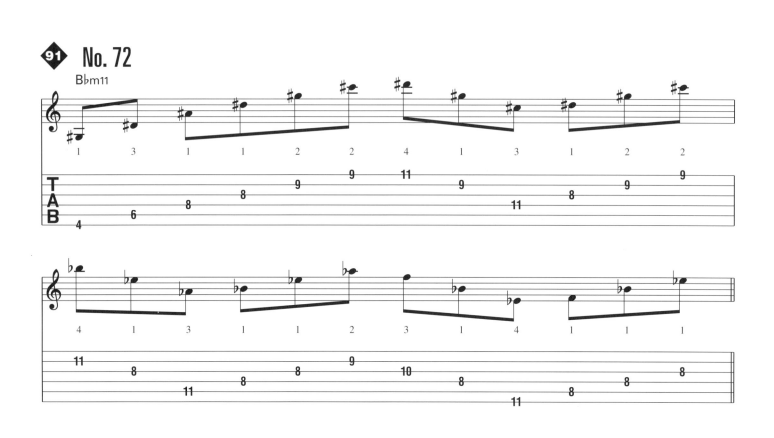

No. 73

Bm11、GMaj7、または Em9

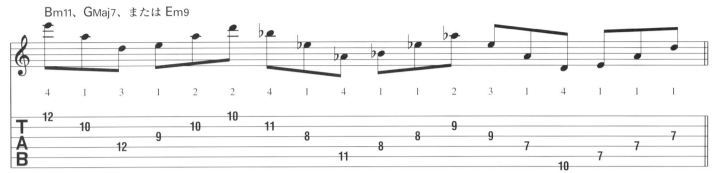

No. 74

GMaj7、Em9、または Bm11

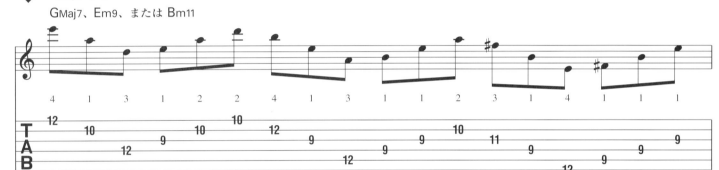

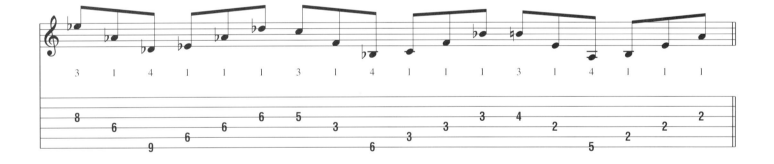

フリースタイル・インプロヴィゼイションのためのデザイン

No.75から83も、フリースタイル演奏に使用できるラインです。

◆94 No. 75

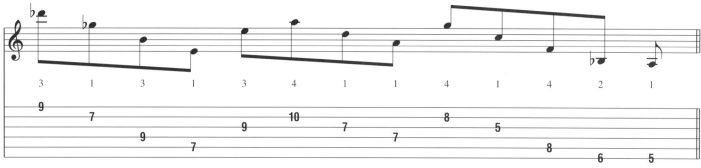

◆95 No. 76

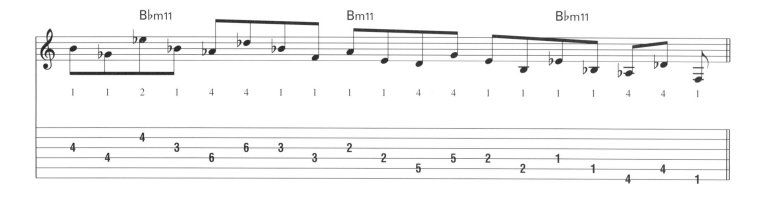

No. 77
96

BᵇMaj7⁽ᵇ5⁾ または Bᵇ7とオルタード・コード

No. 78
97

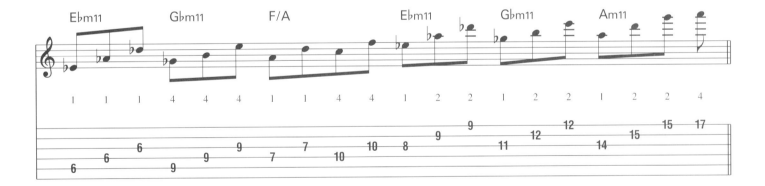

No. 79
98

GMaj7⁽ᵇ5⁾ または G7⁽ᵇ5⁾

🔶99 No. 80

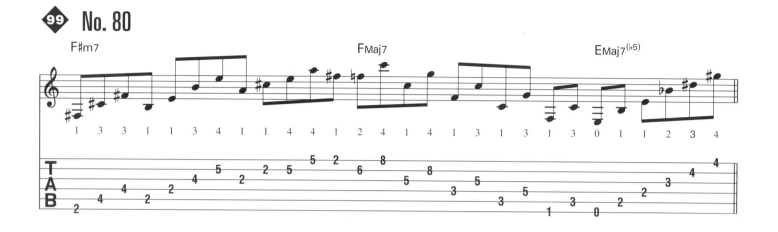

🔶99 No. 81

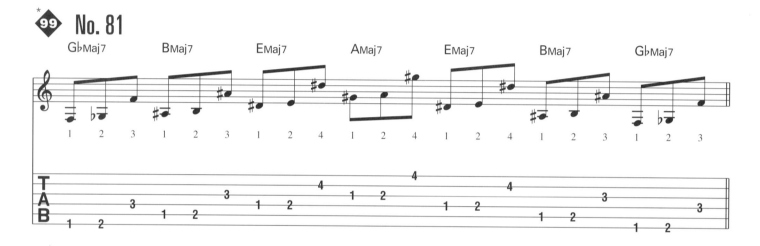

*🔶99 No. 82

* デザイン No.80から83は、CDトラック99にまとめて収録されている。

CDナレーション：これが最後のデザインです。

*99 No. 83

2回くり返し演奏し，ナレーションに続いてインプロヴィゼイション・ソロが収録されている

CDナレーション（続き）：ここで私はフリースタイルのブルースをプレイします。キーはB♭ですので，あなたも参加してみましょう。

ギターの記譜法

ギターの記譜には、1. 5線譜、2. タブ譜、3. スラッシュ（╱）で表すリズム譜の3つの方法があります。

リズム譜
五線の上に記され、指定されたリズムで弾く。コードのヴォイシングは楽譜の最初、または最後のページにダイアグラムで表示される。また、リズム・パートにシングル・ノートを加えて弾く場合は、リズム記号の上に音名をフレットと弦の番号とともに表記することもある。

5線譜
音程と音価を表し、小節を小節線によって分割する。音程はアルファベットの最初の7文字（C、D、E、F、G、A、B）で読む。

タブ譜（TAB）
フィンガーボードを視覚的に表したもの。それぞれの音とコードは、該当する弦に記されたフレット番号で、押さえる位置を示している。

奏法上の記譜

半音ベンド
ピッキングの後、弦をベンドして半音（1フレット分）上げる。

全音ベンド
ピッキングの後、弦をベンドして全音（2フレット分）上げる。

グレイス・ノート・ベンド
ピッキングの後、素早く指定された音まで弦をベンドする。

スライト・ベンド
ピッキングの後、弦をわずかにベンドして（1フレットの約半分）1/4音上げる。

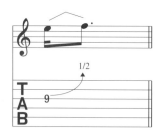

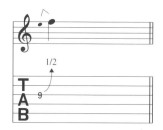

ベンド＆リリース
ピッキングの後、指定された音までベンドし、ふたたび元の音程までベンドをゆるめる。ピッキングするのは最初の音だけ。

プリベンド
あらかじめ指定された音までベンドしておきピッキングする。

プリベンド＆リリース（リバース・ベンド）
指定された音までベンドしておいてからピッキングし、ベンドをゆるめて元の音程に戻す。

ユニゾン・ベンド
両方の音をピッキングし、素早く低い方の音を高い方の音と同じ音程になるまでベンドする。

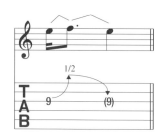

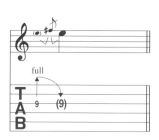
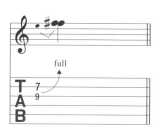

ヴィブラート
押弦している指、手首、腕などを使ってベンド&リリースを素早くくり返して、音を揺さぶる。

ワイド・ヴィブラート
通常のヴィブラートよりも、さらに大きく音を変化させる。

ハンマリング・オン
最初の音をピッキングした後、別の指で弦を叩くようにして高い方の音を出す。ピッキングするのは最初の音だけ。

プリング・オフ
最初の音をピッキングした後、別の指で下方向へ弦をひっかくようにして低い方の音を出す。ピッキングするのは最初の音だけ。

レガート・スライド
ピッキングした音から次の音まで、押さえた指を滑らせる。ピッキングするのは最初の音だけ。

シフト・スライド
レガート・スライドと同じ方法だが、2つめの音もピッキングする。

トリル
指定された音をハンマー・オンとプル・オフで、できるだけ速くくり返す。

タッピング
+マークのついた音を右手の指で叩いて出し、フレットを押さえている音にプリング・オフする。

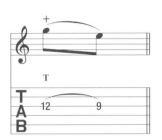

ナチュラル・ハーモニクス
タブ譜に指定された音のフレット上に指を軽くふれ、ピッキングする。

ピンチ・ハーモニクス
タブ譜に指定されたフレットを押さえ、ピックを持った手の親指の側面（または爪）または人差し指をピッキングと同時に弦にあててハーモニクスを得る。

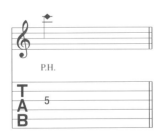

ハープ・ハーモニクス
タブ譜の最初の音を押さえ、2番めのフレット番号の位置にピッキングする手の人差し指などで軽く触れ、さらに別の指を使ってピッキングしてハーモニクスを得る。アーティフィシャル・ハーモニクスとも呼ぶ。

ピック・スクラッチ
ピックの側面を弦にあてて、ネックを上行または下行してスクラッチ・サウンドを得る。

マッフル・ミュート
弦を押さえずに軽く触れ、指定された音域の弦をピッキングしてパーカッシヴなサウンドを得る。

パーム・ミュート
ピックを持った掌の腹をブリッジ付近の弦に軽く触れた状態でピッキングし、弱音効果を得る。

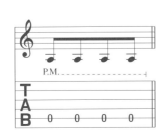

レイク
目標とする音の前に指定された弦を音程を付けずに素早くピッキングする。音程が指定されている場合もある。

トレモロ・ピッキング
音符の長さ分だけ素早くピッキングをくり返す。

アルペジアート
指定されたコードを低い方から高い方へ弾きハープのように鳴らす。逆の場合もある。

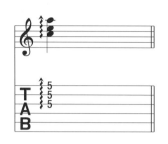

トレモロ・バー／ダイヴ&リターン奏法
押さえた音またはコードをトレモロ・バーを使って指定されたピッチに音を変化させる。

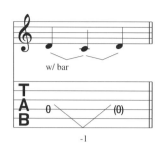

トレモロ・バー／スクープ奏法
トレモロ・バーをあらかじめ下げておいて、ピッキングと同時に素早くバーを戻す。

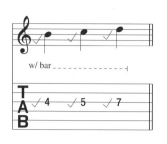

トレモロ・バー／ディップ奏法
ピッキングと同時にトレモロ・バーを使って指定された音程分を素早く下げすぐに戻す。

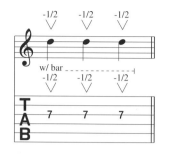

その他の記譜

アクセント
強く演奏する。

Rhy. Fig.
リズム・フィギュア
おもにコードで演奏する小さな単位の伴奏パターン。

マルカート
さらに強く演奏する。

Riff
リフ
おもに単音で演奏するくり返しのパターン。

スタッカート
音を短く切って演奏する。

Fill
フィル
メロディーやリズムの隙間に、短いフレーズを入れること。オカズとも呼ぶ。

⊓
ダウン・ストローク

Rhy. Fill
リズム・フィル
コード演奏によるフィル。

∨
アップ・ストローク

tacet
タチェット
「静かに」の意味で、演奏を休止することを指示する。

D.S. al Coda
ダル・セーニョ・アル・コーダ
5線の下部に記され、D.S.の部分からセーニョ・マーク（𝄋）のある小節まで戻り、コーダ・マーク（to ⊕または to Coda）のついた小節からコーダ（⊕または Coda）へ進む。

リピート・マーク
リピート・マークで囲まれた小節をくり返す。

D.C. al Fine
ダ・カーポ・アル・フィーネ
5線の下部に記され、曲のアタマに戻りFineで終わる。

1.   2.
リピート・マーク
1回めは、1カッコを演奏し、リピートの後の2回めは1番カッコを跳ばし2番カッコへ進む。

REH PROLESSONS & PROLICKS

ジャズ・コード・コネクション・フォー・ギター 《模範演奏CD／ダイアグラム付》
Jazz Chord Connection　*Dave Eastlee* 著・演奏

５つのポジションにまとめたコード・フォームと頻出コード・プログレッションへの適用

56 のデモ・トラックが収録された CD ・ 一般的なフィンガリングとヴォイス・リーディング ・ 一般的なジャズ・コード・プログレッション ・ トライトーン・サブスティテューション、ターンアラウンド、ディミニッシュの法則 ・ その他の重要なジャズ・コンピングのヒント

定価［本体 2,200 円＋税］

ジャズ・インプロヴィゼイション・フォー・ギター 《模範演奏CD／タブ譜付》
Jazz Improvisation for Guitar　*Les Wise* 著・演奏

オルタード・テンションを利用してビバップ・フレージングを生み出すプロセスをじっくり解説
かっこいいアドリブ・ソロのために必要なスケールや代理コードなどの知識とアイディアが満載

付属 CD には、35 の模範演奏トラックを収録 ・ テンションと解決 ・ メジャー・スケール、メロディック・マイナー・スケール、ハーモニック・マイナー・スケール ・ 一般的なリックとサブスティテューション・テクニック ・ オルタード・テンションを創る ・ 一般的な記譜とタブ譜

定価［本体 2,400 円＋税］

ジャズ／ロック・ソロ・フォー・ギター 《模範演奏＆プレイ・アロングCD／タブ譜付》
Jazz-Rock Solos for Guitar　*Norman Brown, Steve Freeman, Doug Perkins* 共著・演奏

大きく６つに分けたジャズ／ロック・スタイルのギター・ソロフレーズとその解説を
関心のあるチャプターから自由に学習

フル・バンドの模範演奏とリズムのみのトラックを収録した CD ・ *John Abercrombie、George Benson、Larry Carlton、Robben Ford、Pat Metheny、John Scofield、Mike Stern、Berney Kessel、Wes Montgomery* のギター・スタイルをフレーズごとに解説 ・ トライアドを使ってインプロヴァイズする方法、ブルース・フュージョン、静止したコードやヴァンプのためのライン、アトモスフェリック・ジャズ、ダブル・ストップを使ったインプロヴィゼイション他 ・ 一般的な記譜とタブ譜

定価［本体 2,400 円＋税］

コード／メロディ・フレーズ・フォー・ギター 《模範演奏CD／タブ譜付》
Chord-Melody Phrases for Guitar　*Ron Eschete* 著・演奏

Ron Eschete のすばらしいジャズ・フレーズでコード／メロディ・テクニックを広げる

39 のデモ・トラックを収録した CD ・ コード・サブスティテューション（代理コード） ・ クロマティック・ムーブメント・ コントラリー・モーション（反進行） ・ ペダル・トーン ・ インナー・ヴォイス・ムーヴメント（内声の動き） ・ リハーモニゼイション・テクニック ・ 一般的な記譜とタブ譜

定価［本体 2,400 円＋税］

インターヴァリック・デザイン・フォー・ジャズ・ギター 《模範演奏CD／タブ譜付》
Intervallic Designs for Jazz Guitar　*Joe Diorio* 著・演奏

Joe Diorio が教えるさまざまなインターヴァリック・フレーズ

トーナリティを使用したデザイン ・ ダイアトニック・ハーモニーを使用したデザイン ・ ディミニッシュ・スケールを使用したデザイン ・ ドミナント・コードとオルタード・ドミナント・コードのためのデザイン ・ クロマティック・スケールを使用したデザイン ・ 慣例的なプログレッションのためのデザイン ・ さまざまなハーモニック・アプリケーションを使用したデザイン ・ 完全５度音程を使用したデザイン ・ フリースタイル・インプロヴィゼイションのためのデザイン

定価［本体 2,400 円＋税］

ジャズ・ソロ・フォー・ギター 《模範演奏CD／タブ譜付》
Jazz Solos for Guitar　*Les Wise* 著　*Les Wise* (guitar), *Craig Fisfer* (piano), *Joe Brencatto* (drums) 演奏

名ギタリストたちのスタイル、フレーズに基づき６種類のソロ・コンセプトを解説

フル・バンドのデモ演奏とリズムのみのトラックが収録された CD ・ *Wes Montgomery、Johnny Smith、Jimmy Raney、Tal Farlow、Joe Pass、Herb Ellis、Jim Hall、Pat Martino、George Benson、Barney Kessel、Ed Bickert* のギター・スタイル ・ フレーズごとに演奏方法を解説 ・ アルペジオ・サブスティテューション、テンションと解決、ジャズ・ブルース、コード・ソロイング　他 ・ 一般的な記譜とタブ譜

定価［本体 3,300 円＋税］

ブルース・ソロ・フォー・ギター 《模範演奏＆プレイ・アロングCD／タブ譜付》
Blues Solos for Guitar　*Keith Wyatt* 著　*Keith Wyatt* (guitar), *Tim Emmons* (bass), *Jack Dukes* (drums) 演奏

基礎テクニックから始め、ブギ・シャッフル、テキサス・スウィングなどのブルース・ソロをポイント別に解説

フル・バンドのデモ演奏とリズムのみのトラックが収録された CD ・ *Albert King、Albert Collins、B.B. King、Jimi Hendrix、Eric Clapton、Stevie Ray Vaughan、Steve Cropper、Freddie King、Lonnie Mack、T-Bone Walker、Gatemouth Brown、Wayne Bennett、Pee Wee Crayton、Chuck Berry、Scotty Moore、Carl Perkins、Brian Setzer* のギター・スタイル ・ フレーズごとに演奏方法を解説 ・ ベンディング、ヴィブラート、トーン、ノート・セレクション（音の選択）、その他のヒント　他 ・ 一般的な記譜とタブ譜

定価［本体 3,300 円＋税］

あなたのニーズと目的に合わせてチョイスできる　ギター・プライヴェート・レッスン・シリーズ

本シリーズは、*Jon Finn*、*Vic Juris*、*Steve Masakowski*、*Sid Jacobs*、*Mimi Fox*、*Ron Eschete*、*Barry Greene*、*Bruce Saunders*、*Mark Boling*、そしてジャズ・ラインの探求シリーズでおなじみ *Corey Christiansen* など、最高のプレイヤーやエデュケーターによって書かれた本と CD のセットです。

定価[本体 2,500 円＋税]

豊かなハーモニーを生み出す
ジャズ・イントロ＆エンディング　　《模範演奏 CD／ダイアグラム付》
JAZZ INTROS AND ENDINGS　　*Ron Eschete* 著・演奏

さまざまなキーやスタイルの楽曲におけるイントロとエンディングを 60 例紹介

ジャズ・イントロ＆エンディングは、さまざまなキーやスタイルの楽曲におけるイントロとエンディングを 60 例紹介しています。著者 Ron Eschete は Ray Brown、Gene Harris, Ella Fitzgerald をはじめとするビッグネームと共演するなど有名で、称賛されているギタリストです。ここでの豊かなハーモニーによるフレーズは、あなた自身のイントロやエンディングを生み出すうえで多くのすばらしいアイディアと理解をもたらすでしょう。譜面では 5 線譜に加えられたコード・ダイアグラムが学習の助けとなります。

定価[本体 2,500 円＋税]

ジャズ・コードとラインを活かすガイド・トーン
ザ・チェンジ　　《模範演奏 CD／タブ譜付》
THE CHANGES: GUIDE TONES FOR JAZZ CHORDS, LINES & COMPING　　*Sid Jacobs* 著・演奏

コード・チェンジの核であるガイド・トーンを視覚化し、ソロ、コンピング、コード・メロディのヴォイシングに役立てる

ザ・チェンジ は、フレットボード上でガイド・トーンを視覚化(頭の中で、指の細かな動きまで、具体的に思い浮かべること)するノウハウを提供するもので、ビギナーから上級者まで利用できる効果的なアプローチです。視覚化されたシェイプを元に、ソロでのラインや、コンピングやコード・メロディのためのヴォイシングを創りだすことができます。

ガイド・トーンはプレイを容易にするだけでなく、コード・プログレッションを心地よく耳に伝え、バロックからビバップ、さらにその先の音楽に至るまで、ミュージシャンたちがインプロヴィゼイションにおいてコード・チェンジを行う際にずっと用いてきた手法です。

定価[本体 2,500 円＋税]

センスある伴奏テクニックを学ぶ
コンピング・コンセプト　　《模範演奏 CD／タブ譜付》
CREATIVE COMPING CONCEPTS FOR JAZZ GUITAR　　*Mark Boling* 著・演奏

コンピングにおけるヴォイシングの解説と譜例

コンピング・コンセプト は、6 つのコード・プログレッションにおけるコンピング・ヴォキャブラリーを発展させることによって、この状況を改善することを目指します。本書で使われるコード・プログレッションのモデルは、ブルース、リズム・チェンジ、マイナー・ブルース、モーダル・チューン、そしていくつかのスタンダードといった、ジャズ・イディオムにおいてもっともよく使われるものです。焦点は、リズム、フレージング、コード・ヴォイシング、ヴォイス・リーディング、コード・サブスティテューション、そしてリハーモナイゼーションに対するコンテンポラリーなアプローチを発展させることにあてています。本書で紹介するコンピング・コンセプト、リズム、そしてフレーズは、たくさんのさまざまな音楽的状況において適用されます。

定価 [本体 2,500 円＋税]

一歩進んだインプロヴァイジング・コンセプト
ジャズ・ペンタトニック　　《模範演奏 CD／タブ譜付》
JAZZ PENTATONICS / ADVANCED IMPROVISING CONCEPTS FOR GUITAR　　*Bruce Saunders* 著・演奏

さまざまなハーモニーの状況における特定のペンタトニック・スケールの使い方を提示

本書ジャズ・ペンタトニックでは、典型的なギター学習者特有の要求に対応しながら、より活発なハーモニーの動きにおけるペンタトニック・スケールとその使用方法にアプローチすることを試みます。したがって、まずいくつかの基本的なインフォメーションを紹介してから、さまざまなハーモニーの状況における特定のペンタトニック・スケールの使い方を提示します。ギターをピアノ、サクソフォン、またはトランペットと同じ土俵に上げ、ペンタトニック・スケールとコード・チェンジの関係を研究することが、本書の中心的なテーマです。

定価 [本体 2,500 円＋税]

一歩進んだインプロヴィゼイションのためのアイディア
上級ジャズ・ギター・インプロヴィゼイション　《模範演奏 CD付》
ADVANCED JAZZ GUITAR IMPROVISATION　　*Barry Greene* 著・演奏

上級者向けインプロヴィゼイションのアイディア

本書はコード・スケールとジャズ理論に関する、相応の知識を持っていることを前提に、中級から上級レベルのジャズ・ギタリストに向けて書かれています。テーマとして、モーダルな演奏、コード・サブスティテューション、ディミニッシュおよびメロディック・マイナー・スケール、そしてペンタトニック・スケールを取り上げます。

PRIVATE LESSONS

ブルース／ロック・インプロヴィゼイション 《模範演奏CD／タブ譜付》

BLUES/ROCK IMPROV　*Jon Finn* 著・演奏

ブルース／ロックのバッキング、ターン・アラウンド、ソロ・パートのリックとアイディアを解説

本書ブルース／ロック・インプロヴィゼイションでは、ブルース／ロックのソロ演奏に関する基本を紹介します。具体的には、基本的なリズム・ギター・パート、基本的なブルース・プログレッション、ターンアラウンド、ソロ・エクササイズ、そしてソロの演奏例を学びます。付属CDに収録されている曲は、重要なテクニックと考えられるものを強調するように工夫されています。

定価［本体2,500円＋税］

ロック／フュージョン・インプロヴァイジング 《模範演奏CD／タブ譜付》

ROCK/FUSION IMPROVISING　*Carl Filipiak* 著・演奏

ロック／フュージョンに必要なコードヴォイシング、スケール、ソロのアイディアを学ぶ

本書では、フュージョン特有の多くのコンセプトを取り上げ、解説します。これらのアイディアを自分の演奏に取り入れれば、プレイ・アロング CD に収録されている曲のみならず、その他のフュージョンやジャズの曲を演奏する上でも役に立つでしょう。

本書は、*Miles Davis*、*Mahavishunu Orchestrs*、*Weather Report*、*Tribal Teck*、*Mike Stern*、*Jeff Beck* など、ロックの要素を取り入れたスタイルを中心に書かれています。ロックやブルースの基礎に慣れていれば、ほとんどの譜例に適応できるはずです。ジャズに精通した人であれば、なおさら簡単に理解することができるでしょう。

定価［本体2,500円＋税］

ギターのための一歩進んだジャズ・ハーモニー
コルトレーン・チェンジ 《模範演奏CD／タブ譜付》

COLTRANE CHANGES / APPLICATIONS OF ADVANCED JAZZ HARMONY FOR GUITAR

Corey Christiansen 著・演奏

ハード・バップを進化させた独特のコード進行"コルトレーン・チェンジ"を基礎から分析、解説

偉大なジャズ・インプロヴァイザー、ジョン・コルトレーンは1960年に発表したアルバム Giant Steps によって、その後のリハーモナイゼーションの世界に大きな影響を与えました。本書では、難解とされるコルトレーン・チェンジ（コルトレーンのリハーモナイゼーション）を基礎から分析、解説し、スタンダードやブルースのコンピングやソロに応用する方法を学びます。現在では、このコルトレーン・チェンジもジャズ・インプロヴィゼイションの基本的な手法になっています。これを機に、この難題にチャレンジしてみましょう。

定価［本体2,500円＋税］

ギターのための高度なブルース・リハーモナイゼーションとメロディック・アイディア
モダン・ブルース 《模範演奏CD／タブ譜付》

MODERN BLUES / ADVANCED BLUES REHARMONIZATIONS & MELODIC IDEAS FOR GUITAR

Bruce Saunders 著・演奏

ジャズ／ブルースでのさまざまなアイディアを紹介

本書は、ブルース演奏におけるメロディックおよびハーモニックなヴォキャブラリーを発展させたい中級から上級のプレイヤーに最適です。ここではジャズで演奏されることが多い、リハーモナイズされた12小節のブルースを取り上げ、チャーリー・パーカー、ジョン・コルトレーン、ジョー・ヘンダーソンなど、偉大なプレイヤーの手法を分析しています。付属のCDには模範演奏だけでなく、ドラムス、アコースティック・ベース、ギターによる生演奏が収録。リズム・セクションと一緒に練習することができます。

定価［本体2,500円＋税］

ギターのための一歩進んだハーモニー
モダン・コード 《模範演奏CD／タブ譜付》

MODERN CHORDS / ADVANCED HARMONY FOR GUITAR　*Vic Juris* 著・演奏

作曲に繋げるモダンなコードの数々を紹介、解説

練習、応用、作曲は、実用的なコード・ヴォキャブラリーを発展させるための鍵となる3つの要素です。そして、それこそが、本書のテーマです。新しいコードを発見することは、この上ない喜びです。しかし、そのコードをヴォキャブラリーに加えることは、また別の話です。新しい単語を学んだら、それを毎日の会話で使わなければ、すぐに忘れてしまうでしょう。すなわち、それが練習であり、応用です。さらに、その新しい単語を使って記事やEメールを書くとしましょう。それが、ここで意味する作曲なのです。

定価［本体2,500円＋税］

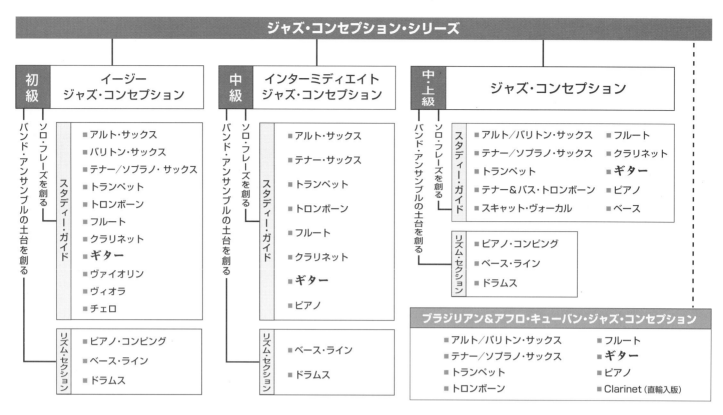

ジャズ・コンセプション・シリーズ

初級　イージー ジャズ・コンセプション

バンド・アンサンブルの土台を創る／ソロ・フレーズを創る

スタディー・ガイド
- ■アルト・サックス
- ■バリトン・サックス
- ■テナー／ソプラノ・サックス
- ■トランペット
- ■トロンボーン
- ■フルート
- ■クラリネット
- **■ギター**
- ■ヴァイオリン
- ■ヴィオラ
- ■チェロ

リズム・セクション
- ■ピアノ・コンピング
- ■ベース・ライン
- ■ドラムス

中級　インターミディエイト ジャズ・コンセプション

バンド・アンサンブルの土台を創る／ソロ・フレーズを創る

スタディー・ガイド
- ■アルト・サックス
- ■テナー・サックス
- ■トランペット
- ■トロンボーン
- ■フルート
- ■クラリネット
- **■ギター**
- ■ピアノ

リズム・セクション
- ■ベース・ライン
- ■ドラムス

中・上級　ジャズ・コンセプション

バンド・アンサンブルの土台を創る／ソロ・フレーズを創る

スタディー・ガイド
- ■アルト／バリトン・サックス
- ■テナー／ソプラノ・サックス
- ■トランペット
- ■テナー＆バス・トロンボーン
- ■スキャット・ヴォーカル
- ■フルート
- ■クラリネット
- **■ギター**
- ■ピアノ
- ■ベース

リズム・セクション
- ■ピアノ・コンピング
- ■ベース・ライン
- ■ドラムス

ブラジリアン＆アフロ・キューバン・ジャズ・コンセプション
- ■アルト／バリトン・サックス
- ■テナー／ソプラノ・サックス
- ■トランペット
- ■トロンボーン
- ■フルート
- **■ギター**
- ■ピアノ
- ■Clarinet（直輸入版）

「ジャズを演奏したことがないけれど興味がある」「今よりもっとジャズらしいプレイができるようになりたい」と感じているアマチュア・ミュージシャンが、付属CDの模範演奏に合わせて楽しく練習できる人気のシリーズ。有名なジャズ・チューンのコード進行を基にしたエチュードをとおして、ジャズ・スタイルとインプロヴィゼイション(即興演奏)の基本を学ぶことを目的としています。

本シリーズは、テンポの速さや音数の多さに合わせてグレード別になっています。3つのグレードはそれぞれ楽器別になっており、いずれの楽器バージョンも著名な一流ミュージシャンによる模範演奏を収録したCDが付属します。さらにリズム・セクションにも、ニューヨークを拠点として世界中で活躍しているミュージシャンを起用しています。超一流プレイヤーとのセッションは、単なる練習を超えたエキサイティングな疑似バンド体験となるでしょう。また、楽譜を見て模範演奏を真似するだけでなく、楽譜を見ずにCDを聴くだけでトランスクライブ(耳コピ)する練習をすれば、イヤー・トレーニングのテキストとしても活躍します。

soloist **Joe Cohn**

定価［本体3,000円＋税］

イージー・ジャズ・コンセプション・スタディー・ガイド
ギター
《模範演奏＆プレイ・アロング CD付》

Jim Snidero 著

「楽器もジャズもイチからやりたい」入門〜初心者レベルにおすすめ

シリーズ中で最もやさしいレベルで、ほとんどの曲は8分音符を中心に創られています。エチュードの難易度が高くない反面、ジャズ特有のグルーヴや演奏上のアーティキュレーションで表現することが重要となります。模範演奏とプレイ・アロング（マイナス・ワン）トラックが別々に収録されたCDが付属しています。CDをディテールまでよく聴きこんで、タイム・フィール、ダイナミクス、表情や音色まで真似することが上達への近道です。

soloist **Joe Cohn**

定価［本体3,300円＋税］

インターミディエイト・ジャズ・コンセプション・スタディー・ガイド
ギター
《模範演奏＆プレイ・アロング CD付》

Jim Snidero 著

「楽器は弾けるのに ソロがなかなかジャズらしくならない」悩みを解決

スタンダード、モーダル・チューン、ブルースなどをベースにした15のエチュードを掲載。巻末には、スタイルとインプロヴィゼイションに焦点をあてたAppendix、スケールの概要、インプロヴィゼイションの学習に役立つ95ものラインとアイディアが紹介されています。模範演奏とプレイ・アロング（マイナス・ワン）トラックが別々に収録されたCDが付属しています。

ジャズ・コンセプション・スタディー・ガイド　ギター

Jim Snidero 著　　　　　　　　　　　　《模範演奏／プレイ・アロング CD 付》

「ジャズの王道的なプレイ・アロング教材が欲しい」というプレイヤーに

ジャズ・コンセプションには、スタンダードやブルースに基づいた幅広いレベルのソロ・エチュードが21曲掲載されています。

なお、3シリーズ中「ジャズ・コンセプション」のみマイナス・ワン・トラックが収録されておりません。ステレオ収録されている模範演奏の片方のチャンネルを絞ると、ソロの演奏を抑え、マイナス・ワンとして聴くことができます。

soloist ***Joe Cohn***

定価［本体 3,800 円＋税］

リズム・フィギュアを読むジャズ・エチュード
リーディング・キー・ジャズ・リズム　ギター

Fred Lipsius 著　　　　　　　　　　　　《模範演奏＆プレイ・アロング CD 付》

ジャズのフレーズ特有のリズミック・フィギュアを
さまざまなコード進行の上でプレイする

ジャズでは、メロディ・ラインの中でよく使われるジャズらしいリズミック・フィギュア(メロディ・ノートのリズム的な配置パターン)というものがあります。本書はそこに焦点を当て、さまざまなハーモニーの上で各種のリズミック・フィギュアを使っていきます。

エチュードは全24曲で、初級から中級者レベルまで対応します。各エチュードは、特定のリズムまたはリズミック・フィギュアを、ジャズ・ミュージシャンの日常語となっているジャズ・チューン(スタンダード、メジャー/マイナー・ブルース、リズム・チェンジなど)のハーモニー上で演奏するものとなっています。また、メロディを簡略化したガイド・トーン・バージョンも掲載しており、独学だけでなくデュエットで演奏することも可能です。

guitar – ***Jack Pezanelli***

定価［本体 3,000 円＋税］

耳を使ってジャズの基本をプレイする
ブルース・エチュード　ギター　　　《模範演奏＆プレイ・アロング CD 付》

Fred Lipsius 著

さまざまなスタイルのブルース上で　ブルースならではのフレージングを練習する

12曲のジャズ・エチュードとCDをセットにした全8巻の楽器別シリーズです。すべてのエチュードはブルース・プログレッションに基づいており、各楽器に最適な音域で創られています。比較的簡単なキー、さまざまなリズム・スタイル、ゆったりしたミディアム以下のテンポで、幅広い層のプレイヤーが楽しく演奏できるようになっています。中級レベルのプレイヤーには初見での譜読み練習にも最適な内容で、ジャズ・ソロイングとはどのようなものかを学ぶために最適なツールとなっています。本書に掲載されているフレーズやフレージングをマスターすれば、それらはブルース以外のジャズ・フォームにおいても音楽的ヴォキャブラリーとして役立ちます。これからジャズ・フレージングやインプロヴィゼイションを学ぼうとするすべてのプレイヤーにおすすめの1冊です。

guitar – ***Jack Pezanelli***

定価［本体 2,800 円＋税］

ブラジリアン＆アフロ・キューバン・ジャズ・コンセプション
ギター　　　　　　　　　　　　　　《模範演奏＆プレイ・アロング CD 付》

Fernando Brandão 著

幅広いラテン・ジャズ・スタイルを
本物のラテン・リズム・セクションによるプレイ・アロング CD を使って練習する

ブラジリアンやアフロ・キューバンのさまざまなスタイルに基づく15曲のオリジナル曲から構成されたプレイ・アロング教材です。ブラジリアン＆アフロ・キューバン・ミュージックのさまざまなスタイルやリズムについての解説や、各曲ごとの詳しい分析と補助的なエクササイズも提示されており、本物のラテン・ジャズ・スタイルを学びたいプレイヤーにとっては最適な入門書です。

付属CDには、現代のブラジリアン・ミュージック界でも屈指のリズム・セクションとソロイストの演奏を収録しています。本シリーズは、曲のリード・シートに対応できる読譜力と楽器演奏スキルを習得しているプレイヤーが対象となります。

guitar – ***Zé Paulo Becker***

定価［本体 3,300 円＋税］

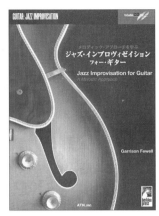

定価［本体 4,200 円＋税］

メロディック・アプローチを学ぶ

ジャズ・インプロヴィゼイション・フォー・ギター

Jazz Improvisation for Guitar: A Melodic Approach

《模範演奏 CD・タブ譜付》

Garrison Fewell 著・演奏

脱・スケール依存！ 演奏スキルやコード／スケールの知識だけでは足りないものを補おう

ジャズ・インプロヴィゼイションの練習では、スタンダード曲などのコード・チェンジ（コード進行）に合わせてスケールやモードを練習するのが一般的ですが、このアプローチは "スケール病" という困った症状を引き起こすおそれがあります。

本書では、ハーモニーの基礎的要素であるトライアドやメロディック・エクステンション（コードのダイアトニック 3 rd 上につくられたテンション）、ガイド・トーン（コードの性格を決める音で、主に 3 rd と 7 th）を使うことで、スケール依存のソロから逃れる効果的な練習法を紹介しています。さらに、ウェス・モンゴメリー／パット・マルティーノ／ジョージ・ベンソン／ジム・ホール などのフレーズからジャズのアーティキュレーションを学びます。ジャズ・ギターの初心者から中級レベルに対応しています。

定価［本体 4,000 円＋税］

スムースにクリエイティヴにコード・チェンジを演奏する

ヴォイス・リーディング・フォー・ギター

Voice Leading for Guitar / Moving through the Changes

《模範演奏 CD 付》

John Thomas 著　*John Thomas* (guitar, bass)、*Tom Garner* (drums) 演奏

ひとつのコード・チェンジを掘り下げ 応用力を身につける

コードの各声部をできるだけ近い音に移動させるコード・チェンジを「ヴォイス・リーディング」と呼びます。ただコードを知っているだけではなく、なめらかに構成音を移動して弾くことは、ジャズ・ギタリストにとって非常に大切です。付属 CD といっしょにジャズ・チューンやブルース、リズム・チェンジを演奏しながら、コード・トーンとテンションの両方をヴォイス・リードする方法を身につけましょう。コード・シンボル、スケール、モード、ハーモニーやヴォイシングについて知識がある、中級から上級のギター・プレイヤーにおすすめします。

本書の主な内容

CHAPTER 1 ： ハーモニー概論とヴォイス・リーディング入門

CHAPTER 2 ： メジャー II-V-I プログレッション

CHAPTER 3 ： マイナー II-V-I プログレッション

CHAPTER 4 ： 練習曲とリズム

CHAPTER 5 ： アドヴァンス・プログレッションとターンアラウンド

Appendix ： モードとコード・スケール

定価［本体 4,200 円＋税］

あなたの感性を刺激する、画期的なアイディア集

ギタリストのための作曲とインプロヴィゼイションの手引き

The Guitarist's Guide to Composing and Improvising

《模範演奏 CD 付》

Jon Damian 著・演奏

Jon Damian がコンプロヴィゼイション（コンポーズ＋インプロヴィゼイション）のテクニックを紹介

尊敬を集めるギタリストであり教育家である *Jon Damian* が、あなたのコンポジションおよびインプロヴィゼイション（コンプロヴィゼイション）のスキルを大きく伸ばすための、画期的なテクニックを紹介します。本書では、コード進行に添ったメロディ・ラインやスケールなどにはあまり触れず、クラシック的なアイディアをジャズやポピュラー音楽に活かす発想を提示してます。

本書の主な内容

CHAPTER 1 ： サウンドの基本要因

CHAPTER 2 ： シングル・ノート・ライン

CHAPTER 3 ： カウンターポイント

CHAPTER 4 ： 3 音コード・ストラクチャー
パレット・チャート

CHAPTER 5 ： フォーム

CHAPTER 6 ： 基礎知識

ロベン・フォード　ブルース・ライン＆リズム 《模範演奏／プレイアロング CD・タブ譜付》

Hotline BLUES & Hotline RHYTHM BLUES　　*Robben Ford* 著・演奏

ロベン・フォード独特のシンプルでカッコいいブルース・ソロやコンピングをコメント付で解説

本書は、**REH** より出版されたロベン・フォードのブルース教則本 Hotline BLUES と Hotline RHYTHM BLUES を、日本語版のために 1 冊にまとめた、ロベン・フォード独特のブルースにおけるソロ（ライン）とコンピング（リズム）のアプローチをたっぷりと堪能し探求するには最適なブルース・ギター教本です。

前半では、ロベン・フォードならではの特徴的なブルース・ソロ・フレーズの組み立てとフィンガリングを探究、後半はコード・ヴォイシングとコンピング・テクニックに的をしぼった 2 つのパートから構成されています。

本書に含まれる要素

Part 1：ロベン・フォードの特徴的なブルース・フレーズの組み立て方とフィンガリングを探究する
クラシック・ブルース・リックとメロディック・アイディア／ハンマリング・オン／プリング・オフ／スライド／ベンド、ダブル・ストップなどのブルース・ギターをプレイする上で欠かせないテクニック／テーマの発展／イヤー・トレーニング／セオリー／ディミニッシュ／ホールトーン／ペンタトニックなど、ブルース進行における効果的なスケールの使い方

Part 2：ロベン・フォードの特徴的なコード・ヴォイシングとドライヴするリズム・パターンによるすばらしいコンピング・テクニックを探究する
ファンキー・ブルース／シャッフル・ブルース／スロー・ブルースにおけるコンピング／2 音または 3 音のヴォイシングによるコンピング・テクニック／13th、♯5♭9、ディミニッシュなどの、ギター特有のコード・ヴォイシングによるコンピング・テクニック／スライディング 6th（6 度のインターヴァルのダブルストップによるスライド・テクニック）／イントロとエンディング・パターン／パッシング・コードとヴォイス・リーディング／7th コードの異なるヴォイシング

定価［本体 3,000 円＋税］

コーネル・デュプリー　リズム＆ブルース・ギター
《模範演奏／プレイアロング CD・タブ譜付》

Rhythm & Blues Guitar　　*Cornell Dupree* 著・演奏

惜しまれつつも亡くなったコーネル・デュプリー本人による執筆と模範演奏で魅力たっぷりの 1 冊

King Curtis のバンドを経て、何千というセッションをこなしながら、伝説のインストゥルメンタル・リズム＆ブルース／フュージョン・バンド *STUFF* を結成し、*Eric Gale* とともに、実にクールなギターをプレイする *Cornell Dupree*。

彼が歩んできた道のりを、リズム＆ブルースの返還とともに詳細に解説。*King Curtis*、*Jimi Hendrix*、*Billy Butler*、*Big Joe Turner*、*Ray Sharpe*、*Bobby Womack*、*Sam Cooke*、*Jerry Wexler*、*Steve Cropper*、*Ike Turner*、*Eric Gale*、*James Jamerson*、*Lloyd Price*、*Wilson Picket*、*Brook Benton*、*Duan Allman*、*Freddie King*、*Joe Cocker*、*Jerry Jemmott*、*Bernard Purdie*、*Tom Jones*、*Harry Belafonte*、*Lena Horn*、*Sarah Vaughan*、*Barbra Streisand*、*Mariah Carey* など、彼のセッション・ワークの数々を Cornell 自ら回想、語ってくれる。

ジャンルを越えて、今もなおひっぱりだこのセッション・ギタリスト *Cornell Dupree* が、自らプレイし解説してくれる本書は、リズム＆ブルース・ギターのスタイルとテクニックを身につけることができる最高のメソッド。
全 10 曲／ TAB 譜付。

定価［本体 2,800 円＋税］

インプロヴィゼイションが向上する 50 の方法
アメイジング・フレイジング　ギター 《模範演奏 CD ／タブ譜付》

Amazing Phrasing Guitar　　*Tom Kolb* 著・演奏

日々の練習に役立つ 50 の異なる視点をチェックしよう

自分ひとりの練習ではなかなか気づかないこと、見落としがちなこと、目からウロコが落ちるようなことなど、切り口の異なるアプローチによって気づかされることはよくあります。

本書では、メロディ／ハーモニー／リズムとスタイルの 3 つに焦点を当て、順序立てて 50 項目の解説が書かれています。1 つの課題や譜例は比較的短めなので、すぐに実践しやすくなっています。

付属 CD には解説の中に出ている譜例が収録されており、文章だけではわかりにくいサウンドの雰囲気を理解するのに役立ちます。順番通りではなく、自分にとって役に立つと感じる項目から読んでいっても十分に効果的です。

定価［本体 3,200 円＋税］

定価［本体3,300円＋税］

ブルース・ユー・キャン・ユース
ブルース・ギター　スケール＆コード・スタディ
《模範演奏CD／タブ譜付》

Blues You Can Use　*John Ganapes* 著・演奏

テキサス、デルタ、R&B等、すべてのブルース・ギター・テクニックを基礎から学ぶ

ブルースのフレーズを弾きながら、スケール、コード、コード進行、リズムなどのテクニックや理論を学べます。さまざまなスタイルのブルースが、各曲ごとに明確なテーマをもち、高品質なソロをレベル的に無理なく弾け、マスターできたときの充実感も抜群。初・中級者の独習、ギター教室での使用に最適で、ここさえ押さえればばっちりというブルース・ギターのツボを満載。

付属のCDには、すべての練習曲がバンド演奏とともに収められ、練習曲によっては、ノーマル・テンポに加え、スロー・テンポのバージョンも収録されており、速いフレーズやパッセージでも1つひとつの音がよく聴き取れるようになっています。

Lesson 1：マイナー・ペンタトニック・スケール　Lesson 2：移動可能なスケールとコード　Lesson 3：クィック・チェンジ進行　Lesson 4：パターンの連結　Lesson 5：スプレッド・リズム　Lesson 6：サークル・オブ 5th　Lesson 7：9thコードの導入　Lesson 8：すべてのパターンの連結　Lesson 9：フィンガーボード全体を使ったスケールの練習　Lesson 10：広範囲なスケール演奏とオルタネート・ピッキング　Lesson 11：スケール・セオリー　Lesson 12：メジャー・ペンタトニック・スケール　Lesson 13：メジャー・ペンタトニックとマイナー・ペンタトニックの組み合わせ　Lesson 14：パッシング・コードと13thの使用　Lesson 15：2本の弦の組み合わせで弾くスケール　Lesson 16：隣り合うスケール・パターン間の移動　Lesson 17：弦をスキップするスケール演奏　Lesson 18：マイナー・スケールとコード・フォームの組み合わせ　Lesson 19：メジャー・スケールとコード・フォームの組み合わせ　Lesson 20：スピードの加速　Lesson 21：スケール・パターンの使用法

定価［本体3,500円＋税］

モア・ブルース・ユー・キャン・ユース
ブルース・ギター／リード＆リズム・スタディ
《模範演奏／プレイ・アロング CD・タブ譜付》

More Blues You Can Use　*John Ganapes* 著・演奏

ブルース・ユー・キャン・ユース・シリーズの最上級グレード！

シングル・ライン・ソロとリズム・ギター・スタイルの両面を、13種類のテーマ別レッスンで鍛えます。

いずれのレッスンも、ブルース・ギターならではのメカニカル・テクニック、ハーモニック・アイデア、スタイル・スタディを効果的に取り入れたもので、タブ譜、付属CDを用いてひとりでも楽しく効率的に練習できます。特に、次のような悩みを抱えているプレイヤーには改善するためのアイディアが満載の一冊です。

・スケールやコードの知識はひと通りあるのだが、どうも実際のプレイに活かしきれていないと感じる
・実際に演奏すると、いつも同じようなフレーズばかり弾いてしまう
・ブルースらしいフィールやリズム感が、シングル・ライン・ソロでもコード・プレイでもなかなか出せない

付属CDには、ほとんどのトラックで2種類のテンポの模範演奏が収録されています。リード・ギターが左チャンネル、リズム・ギターが右チャンネルに振ってありますので、左右のバランスを調整すればプレイ・アロングとしても使用できます。

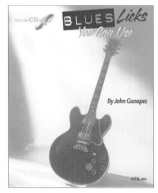

定価［本体2,800円＋税］

ブルース・ギター　リックス　《模範演奏CD／タブ譜付》

Blues Licks You Can Use

John Ganapes 著・演奏

すぐに使える普遍的なリックが満載

ブルース・ギター・シリーズ第3弾。75例におよぶブルース・ギターのリックを掲載し、各リックごとにポイントを解説。

付属のCDでは、各リックの模範演奏をノーマル・テンポとスロー・テンポを収録。仕上げに、掲載のリックを組み合わせたり、自分のオリジナル・リックを創り、アイディアを組み立てられるよう各種の12小節ブルースのマイナス・ワンを収録。

Section 1：GROOVIN' EASY ～ C Dominant 12-Bar Quickchange ～スロー・ブルース　Section 2：UP-TEMPO BOUNCE ～ Shuffle Progression in A ～シャッフル・スウィング　Section 3：ROCKIN' IT UP ～ Rockin' Blues Progression ～ホット・ブルース・ロック　Section 4：A BIT OF FLASH ～ Another Slow Blues ～スロー・ブルース　Section 5：A TASTE OF JAZZ ～ 12-Bar Shuffle in F ～ジャズ・フィール・シャッフル

スーパー・ギタリストから学ぶ
リズム・ギター／リックス 《模範演奏CD付》
Masters of Rhythm Guitar
Joachim Vogel 著

さまざまなジャンルのリズム・ギターにスポットを当てた1冊。ヒット曲のリックが満載！

本書は、現代のギタリストたちの本当の意味での手本となる、またはルーツとなる、優れたリズム・ワークを創り出したプレイヤーのテクニックとセンスを満載したリック集です。

ジャンルを越えた22人のスーパー・ギタリスト／それぞれ10のリックを収録（全240例）。

掲載ギタリスト

Chuck Berry ／ Charlie Byrd ／ Steve Cropper ／ David "The Edge" Evans ／ Jimi Hendrix ／ James Hetfield ／ Paul Jackson Jr. ／ Albert Lee ／ Bob Marley ／ John Mclaughlin ／ Scotty Moore ／ Jimmy Nolen ／ Jimmy Page ／ Joe Pass ／ Prince ／ Keith Richards ／ Nile Rodgers ／ Steve Stevens ／ Andy Summers ／ Marle Travis ／ Eddie Van Halen ／ Malcom Young

模範演奏は著者による演奏で、オリジナル・アーティストの演奏ではありません

定価［本体3,800円＋税］

シングル・ラインの演奏を極める
ジャズ・ギター ライン&フレーズ 《模範演奏CD／タブ譜付》
Complete Book of Jazz Guita Lines & Phrases
Sid Jacobs 著

模倣から始めるインプロヴィゼイションのアイディア、即戦力となるライン&フレーズ

実際の演奏ですぐに使うことができる便利なライン&フレーズ集である本書により、"ジャズ言語"のボキャブラリーを身につけ、表現の幅を広げることができます。Ⅱ-Ⅴ、Ⅴ-Ⅰ、Ⅱ-Ⅴ-Ⅰでのフレーズを数多く紹介、その短いフレーズを組み合わせソロを構築していくスタイルを解説。付属CDには、1つのセクションをノンストップで演奏した模範演奏が収録されており、耳から本格的なジャズ・ギターのニュアンスを学べ、そして各セクションのフレーズはどれもカッコよく、真似して弾くだけで大満足。ギターの奏法については解説されていませんが、ある程度の演奏ができる初心者から上級者まで幅広く使うことができます。

定価［本体4,300円＋税］

フィンガースタイル・ジャズ・ギター
ウォーキング・ベース・テクニック 《模範演奏CD／タブ譜付》
Fingerstyle Jazz Guitar / Teaching Your Guitar to Walk
Paul Musso 著

ベース・ラインとコードを1人二役でこなすウォーキング・ベース・テクニックを学ぶ

ギター1本でベース・ラインとコードの両方を演奏する1人二役のウォーキング・ベース・テクニックについて学びます。*Joe Pass*、*Tuck Andress*、*Martin Taylor* をはじめとするソロ・ギターの名手の得意技で、高度なテクニックに思われがちですが、本書ではⅡ-Ⅴ-Ⅰ、ブルース、ラテン、ボサ・ノヴァ等のコード・プログレッションを例にわかりやすく簡潔に解説されています。初めてチャレンジする人でも、付属CDと共にエクササイズを順に練習していけば、自然に習得することができるでしょう。

定価［本体3,000円＋税］

マーク・レヴィン　ザ・ジャズ・セオリー

the JAZZ THEORY book　　*Mark Levine* 著

世界的なベストセラー！ ベーシックな理論・具体的な用例など ジャズ・ミュージシャンに必要な情報を すべて網羅したジャズ百科事典

本書では、たくさんのジャズ・ミュージシャンの語法について分かりやすく解説されています。ジャズのハーモニーと理論の学習について、これほど広範囲にわたり書かれた本はありません。

コードとスケール / メジャー・スケールとII-V-I進行 / ビバップ・スケール / ペンタトニック・スケール / ブルース / I've Got Rhythm のチェンジ / リハーモナイゼーション / スラッシュ・コード / リード・シートの読み方などジャズのあらゆる理論について、偉大なジャズ・ミュージシャンの演奏を基に、750以上の譜例を参考にしながら詳しく解説しています。実際の曲中でどのように使われているかを確認することにより、音楽を聴くときに感性がより刺激され、理論を演奏に活かすことができるようになるでしょう。さらにジャズ・レパートリーなど、実際の演奏に役立つ豊富な資料も掲載しています。

定価［本体 7,600 円＋税］

コード／メロディの魅力を引き出す
ジャズ・ギター・ドロップ2ヴォイシング

Jazz Guitar Voicings vol.1: The Drop 2 Book　　《模範演奏＆プレイ・アロング 2CD付》

Randy Vincent 著

ギターの4声ヴォイシングに焦点を絞ったユニークな1冊。 ドロップ2を使いハーモニーに広がりを!

メロディにコード（和音）を施すヴォイシングの中でも、すべての構成音がオクターヴ以内に収まり、各音ができるだけ狭い間隔で並んだものをクローズ・ヴォイシングと呼びます。本書は、そのクローズ・ヴォイシングの上から2番めの音を1オクターヴ下げたドロップ2ヴォイシングに焦点を当てて学ぶ、ギタリストのための教則本です。通常クローズ・ヴォイシングはサウンドが濁りがちですが、ドロップ2ヴォイシングを使うことでハーモニーに広がりが生まれます。またフィンガーボード上で隣接する4本の弦を使っての演奏が容易になります。それぞれのスケールやコードに沿った使い方や、演奏の中での取り入れ方など、細かい譜例とともにわかりやすく解説をしています。

定価［本体 4,200 円＋税］

ATN, inc.

インターヴァリック・デザイン フォー・ジャズ・ギター

発　行　日　2003年 2月10日（初版）
　　　　　　2012年10月20日（第2版1刷）
著　　　者　Joe Diorio
翻　　　訳　石川 政実
監　　　修　石井 貴之
発行・発売　株式会社 エー・ティー・エヌ
© 2003、2012 by ATN,inc.
住　　　所　〒161-0033
　　　　　　東京都新宿区下落合 3-12-21 目白エミネンス 102
　　　　　　TEL 03-6908-3692 / FAX 03-6908-3694
ホームページ　http://www.atn-inc.jp

3620

ISBN978-4-7549-3620-4